まちごとインド
西インド002

ジャイプル
ピンクの宮殿都市と「マハラジャ」
［モノクロノートブック版］

JN121909

パキスタンへ続く広大なタール砂漠の入口に位置するラジャスタン州の州都ジャイプル。ここは王族の末裔を称する誇り高きラージプート族の故地のなかでも、もっとも繁栄をきわめたところで、今なお街にはマハラジャとその一族が暮らしている。

もともとマハラジャの宮殿はこの街から北11kmのアンベール・フォートにあったが、1727年、名君サワイ・ジャイ・シン2世の時代にこの地に美しい計画都市ジャイプルが建設された。古代ヒンドゥー教の理念をもとに

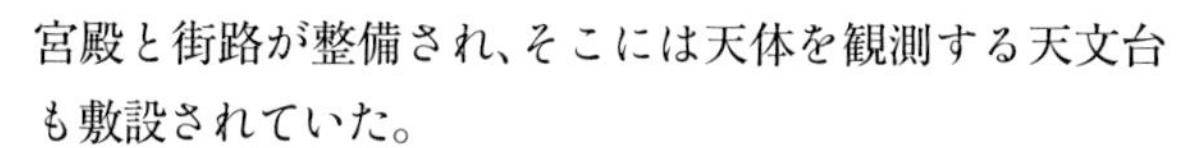

宮殿と街路が整備され、そこには天体を観測する天文台も敷設されていた。

以後、ジャイプルはムガル帝国、英領インド時代を通じて臣下や保護国という立場をとりながら、事実上の統治者マハラジャのもと繁栄を続けた。1876年、イギリスのウェールズ皇太子の訪問をきっかけに街は「歓迎」を意味するピンク色にぬられたことから、ピンク・シティの名で呼ばれている。

Asia City Guide Production
West India 002

Jaipur

जयपुर/جے پور

まちごとインド｜西インド 002

ジャイプル

ピンクの宮殿都市と「マハラジャ」

「アジア城市（まち）案内」制作委員会

まちごとパブリッシング

まちごとインド
西インド 002
ジャイプル

Contents

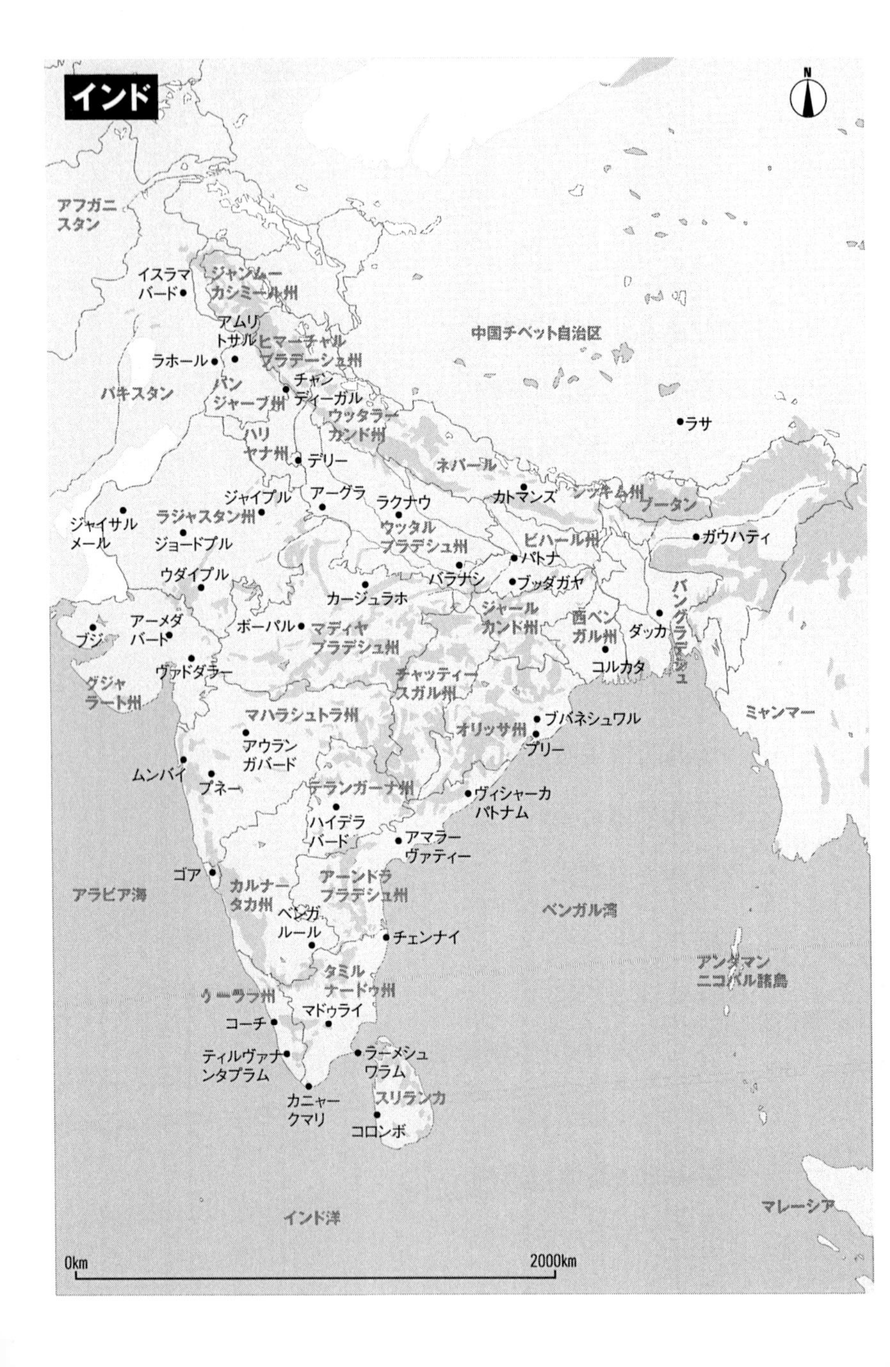
インド
アフガニスタン
イスラマバード
ジャンムーカシミール州
アムリトサル
ヒマーチャルプラデーシュ州
ラホール
パキスタン
パンジャーブ州
チャンディーガル
ウッタラーカンド州
ハリヤナ州
デリー
中国チベット自治区
ラサ
ネパール
カトマンズ
シッキム州
ブータン
ジャイプル
アーグラ
ラクナウ
ジャイサルメール
ラジャスタン州
ジョードプル
ウッタルプラデシュ州
ビハール州
パトナ
ガウハティ
バラナシ
ブッダガヤ
ウダイプル
カージュラホ
ジャールカンド州
バングラデシュ
ダッカ
ブジ
アーメダバード
ボーパル
マディヤプラデシュ州
西ベンガル州
コルカタ
ヴァドダラー
グジャラート州
チャッティースガル州
マハラシュトラ州
オリッサ州
ブバネシュワル
プリー
ミャンマー
アウランガバード
ムンバイ
プネー
テランガーナ州
ヴィシャーカパトナム
ハイデラバード
アマラーヴァティー
ゴア
カルナータカ州
アーンドラプラデシュ州
アラビア海
ベンガル湾
ベンガルール
チェンナイ
タミルナードゥ州
アンダマンニコバル諸島
ケーララ州
マドゥライ
コーチ
ティルヴァナンタプラム
ラーメシュワラム
カニャークマリ
スリランカ
コロンボ
マレーシア
インド洋
0km
2000km

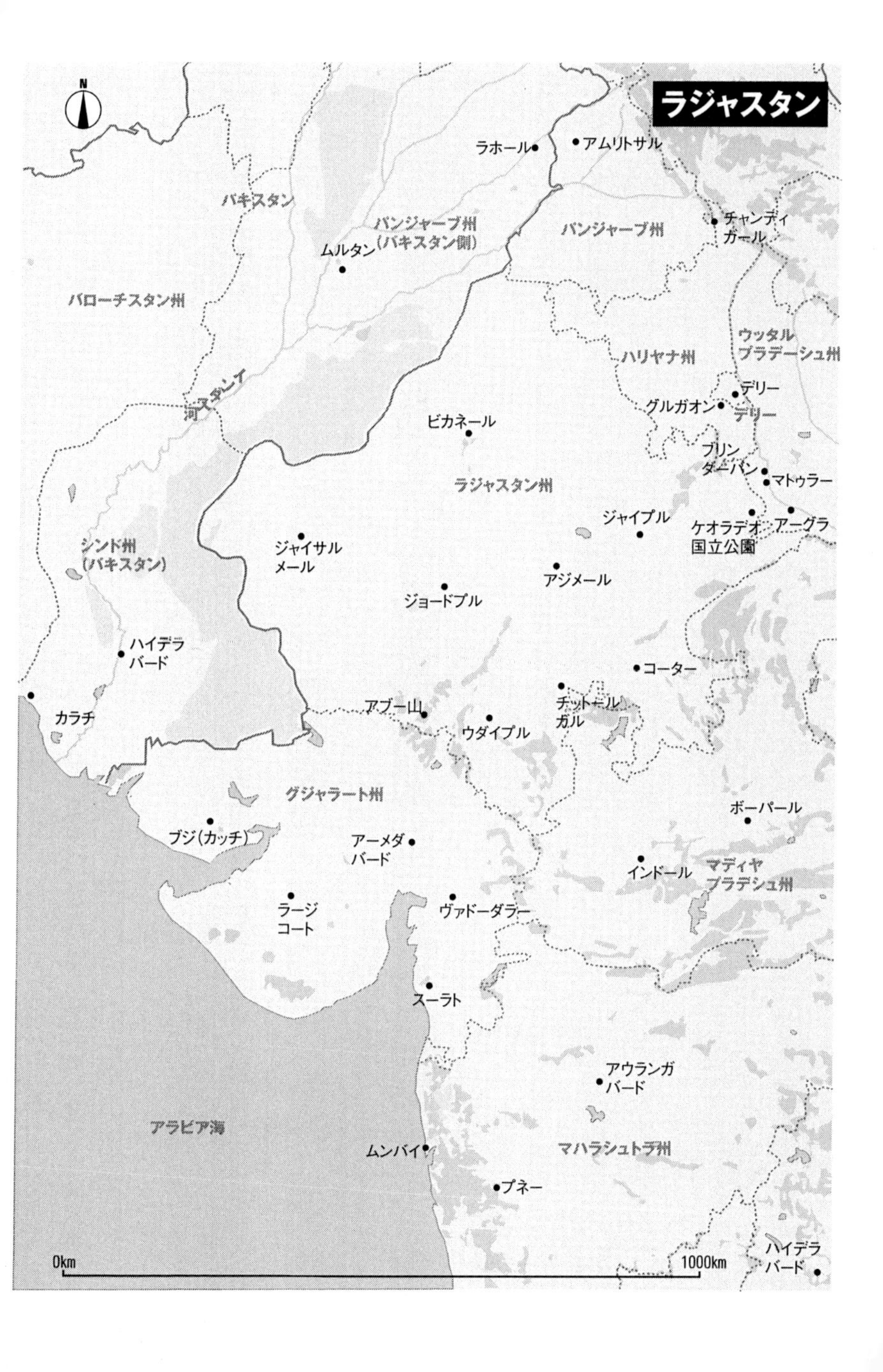
ラジャスタン
N
ラホール
アムリトサル
パキスタン
パンジャーブ州
(パキスタン側)
パンジャーブ州
チャンディガール
ムルタン
バローチスタン州
ウッタルプラデーシュ州
ハリヤナ州
インダス河
デリー
グルガオン
デリー
ビカネール
ブリンダーバン
マトゥラー
ラジャスタン州
ジャイプル
ケオラデオ国立公園
アーグラ
シンド州
(パキスタン)
ジャイサルメール
アジメール
ジョードプル
ハイデラバード
コーター
カラチ
アブー山
チットールガル
ウダイプル
グジャラート州
ボーパール
ブジ(カッチ)
アーメダバード
インドール
マディヤプラデシュ州
ラージコート
ヴァドーダラー
スーラト
アウランガバード
アラビア海
ムンバイ
マハラシュトラ州
プネー
ハイデラバード
0km
1000km

Introduction

誇り高き王たちの世界へ

ジャイプルは西インド、ラジャスタン地方の中心都市
1000年以上続く王族の伝統と
アラビアン・ナイトを思わせるマハラジャの生活

王の土地

　ラジャスタンという地名は「王の土地（ラージャ・スターン）」に由来し、1947年のインド独立までマハラジャが治める19の藩王国があった。そのなかでもウダイプルのメワール家、ジョードプルのマルワール家、アンベール（ジャイプル）のカッチワーハ家が代表的な王家として知られていた。これら王家は、バラモンにつくらせた神話時代にまでさかのぼる家系図をもち、太陽（日種族）、月（月種族）、炎（祭火族）といった王統であることを誇っている。このラージプート諸族は8世紀ごろからあらわれ、女性隔離パルダや、先立たれた夫のために殉死するサティ、幼児婚はじめ、ヒンドゥー教徒にとって美徳とされる文化や慣習が見られてきた。

マハラジャの生活

　20世紀なかごろまで英領インドには半独立状態の藩王国（イギリスの保護国）が600ほどあり、ヨーロッパ一国の規模に相当するものから、地主程度のものまで大小さまざまな藩王国があった。その藩王国の支配者がマハラジャで、各藩王国で独自の政治体制や文化が育まれることになった。立派な宮殿に調度品を集め、奢侈をきわめた生活を送るマハラジャ、美女とたわむれ、アヘンや酒づけの生活にふけるマハラジャも多かった。ラジャスタンにはこのような藩王国が20ほどあり、砂漠、宮殿、美女を集めたハレムといったアラビアンナイトを彷彿とさせる世界が広がっていた。

ヒンドゥーの理想都市

ジャイプルは入念に計画された碁盤の目状のプランをもち、1727〜29年にかけて建設された(都市プランは古代インドの『ヴァーストゥ・シャーストラ』で示された理想的な都市が意識されたという)。中心に王宮がおかれ、東西と南北に走る街路で一辺800mの正方形ブロックが9つならんでいる。ブロックは3×3の対称型ではなく、湿地帯をさけるために北西のブロックを南東へうつした変形型となっている。また宮殿地区の前を走る東西の大通りが15度かたむいているのは、東の丘に立つスーリヤ寺院(王家が帰依する)からジャイ・シン2世を守護する獅子座(シンは獅子)の角度にあわせた、西日が直接入らないようにずらした、この地形にあわせたなどの理由が考えられている。造営にあたってベンガル出身のバラモン、ヴィディヤーダール・チャクラヴァルティが参加し、宮殿、住宅地、公園、市場、道路までを4年間かけて綿密に計画された。新たな建築を建てる場合には、このバラモンに計画書を提出して許可を受けなければならないなど、細やかな配慮がされたという。1876年、ウェールズ皇太子が来訪にあわせて、マハラジャ・ラーム・シンが街全体を「歓迎」を象徴するピンク色に塗りあげた。

子どもたちが見学に訪れていた、シティ・パレスにて

世界遺産にも指定されているアンベール・フォート

ここはラクダの活躍するタール砂漠の入口に位置する

ピンクはジャイプルのシンボル・カラー

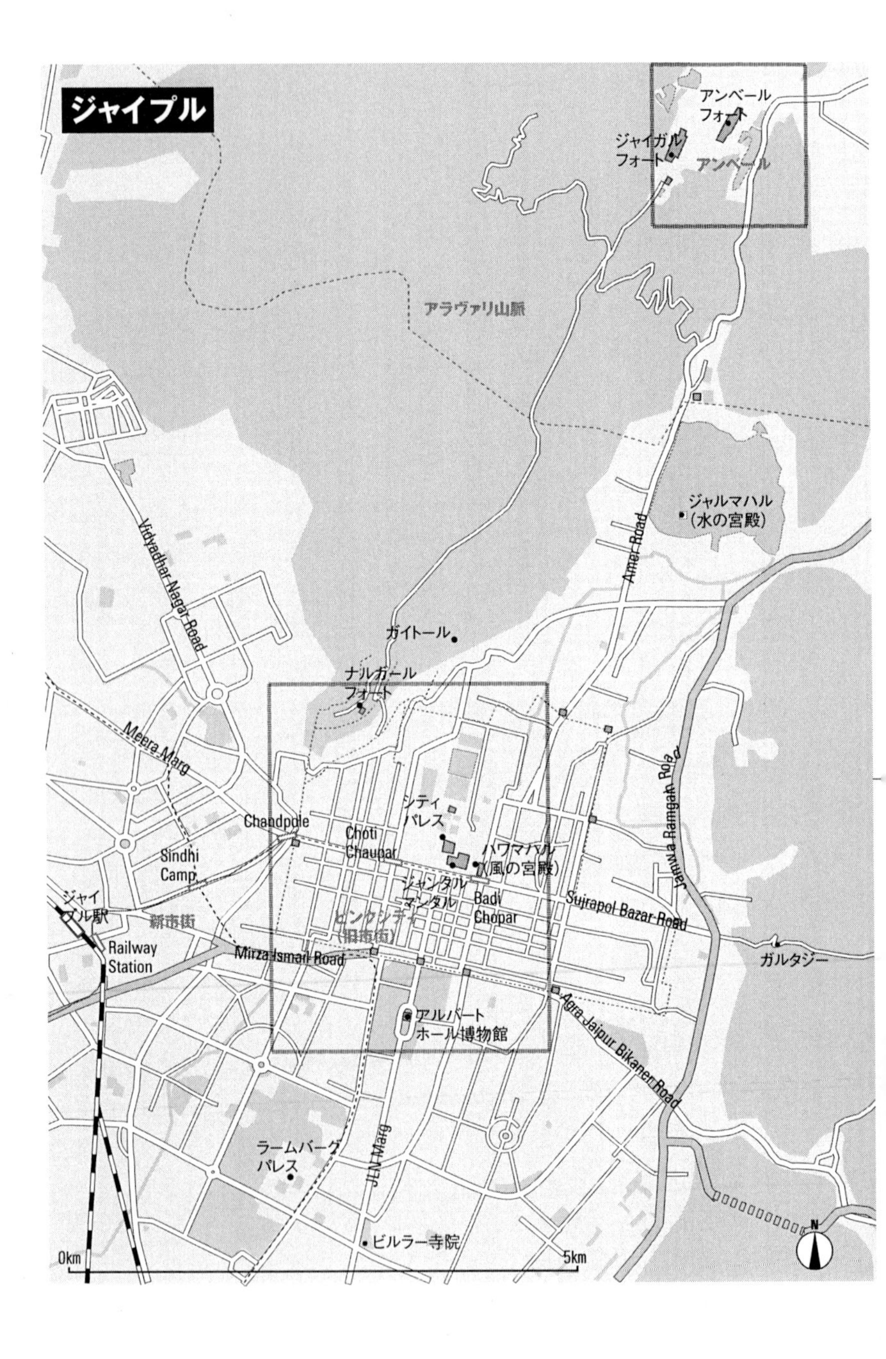

ジャイプル
アンベール
フォート
ジャイガル
フォート
アンベール
アラヴァリ山脈
ジャルマハル
（水の宮殿）
Vidyadhar Nagar Road
Amer Road
ガイトール
ナルガールフォート
Meera Marg
シティ
パレス
Chandpole
Choti
Chaupar
ハワマハル
（風の宮殿）
Sindhi
Camp
ジャンタル
マンタル
Badi
Chopar
Jamwa Ramgarh Road
Sujrapol Bazar Road
ジャイプル駅
新市街
ピンクシティ
（旧市街）
Railway
Station
Mirza Ismail Road
ガルタジー
アルバート
ホール博物館
Agra Jaipur Bikaner Road
ラームバーグ
パレス
JLN Marg
ビルラー寺院
0km
5km
N

ジャイプルの構成

　アーグラとアジメールを結ぶ幹線上に位置するほか、北方はデリーに通じるジャイプルの地（ムガル帝国時代以来の要衝）。北側と東側を丘陵に囲まれた要害の地で、街の中心にマハラジャの暮らしたシティ・パレス、風の宮殿、世界遺産にも指定されているジャンタル・マンタルが集まる。ここから北11kmに残るのがジャイプル王家の古都アンベールで、ジャイプル市街とアンベール・フォートを結ぶ幹線のそばには水の宮殿やガイトール（王室墓園）などジャイプル王家に関する遺構が残る。また旧市街の南部と西部が20世紀以降に発展した新市街で、ジャイプル駅近くにはホテルがならぶ。ジャイプル空港は南郊外のサンガネールに位置し、現在ではジャイプル市街とひと続きになっている。

★★★

シティ・パレス *City Palace*
ジャンタル・マンタル *Jantar Mantar*
ハワ・マハル（風の宮殿） *Hawa Mahal*
ピンク・シティ（ジャイプル旧市街） *Pink City*
アンベール・フォート *Amber Fort*

★★☆

バリー・チョウパル *Badi Chaupar*
アルバート・ホール博物館（中央博物館） *Albert Hall Museum (Central Museum)*
ビルラー寺院 *Birla Mandir*
ガルタジー *Galta Ji*
ナルガール・フォート *Nahargarh Fort*
ガイトール（王室墓園） *Royal Chatris (Gaitor)*
ジャル・マハル（水の宮殿） *Jal Mahal*
アンベール *Amber*
ジャイガル・フォート *Jaigarh Fort*

★☆☆

ジャイプル新市街 *New Jaipur*
ジャイプル・ジャンクション駅 *Jaipur Junction Railway Station*
シンディー・キャンプ *Sindhi Camp*
ラーム・バーグ・パレス *Ram Bagh Palace*

City Palace

シティパレス鑑賞案内

宮廷地区は古くジャイ・シン2世が狩りを行なっていた場所
そのときに建てた離宮（ジャイ・ニワス）
をとりかこむようにして宮殿が建てられた

シティ・パレス ★★★

City Palace　Ⓗसिटी पैलेस／Ⓤسٹی محل

北11kmのアンベールからこの地（ジャイプル）に都が遷されて以来、アンベール王家の宮殿として王族が起居した宮殿シティ・パレス。城壁に囲まれたジャイプルの中央に位置し、複数の宮殿群、中庭などからなる複合建築には、現在でもマハラジャの子孫が暮らしている（街の造営と同時期の1729～32年、ジャイ・シン2世によって建設され、その後、歴代の統治者によって追加、拡張されていった）。チャンドラ・マハル（月の宮殿）、サルバト・バドラ（ディワーネ・カース）、チャハール・バーグなどでは、当時、最先端の様式だったムガル建築の影響が認められ、ムガルとラージプート様式が融合している。敷地内は博物館となっていて、ジャイ・シン2世がムガル皇帝へ献上した天文表、武器や楽器、マハラジャの衣装などが展示されている。

シティ・パレスの構成

シティ・パレスは、ジャイプル旧市街の中央に立つ。王族の暮らしたこの宮殿は、もともと「ハワ・マハル（風の宮殿）」「ジャンタル・マンタル」、東側の「ジャレブ・チョウク」をふくむ広大なエリアを有していたが、現在はマハラ

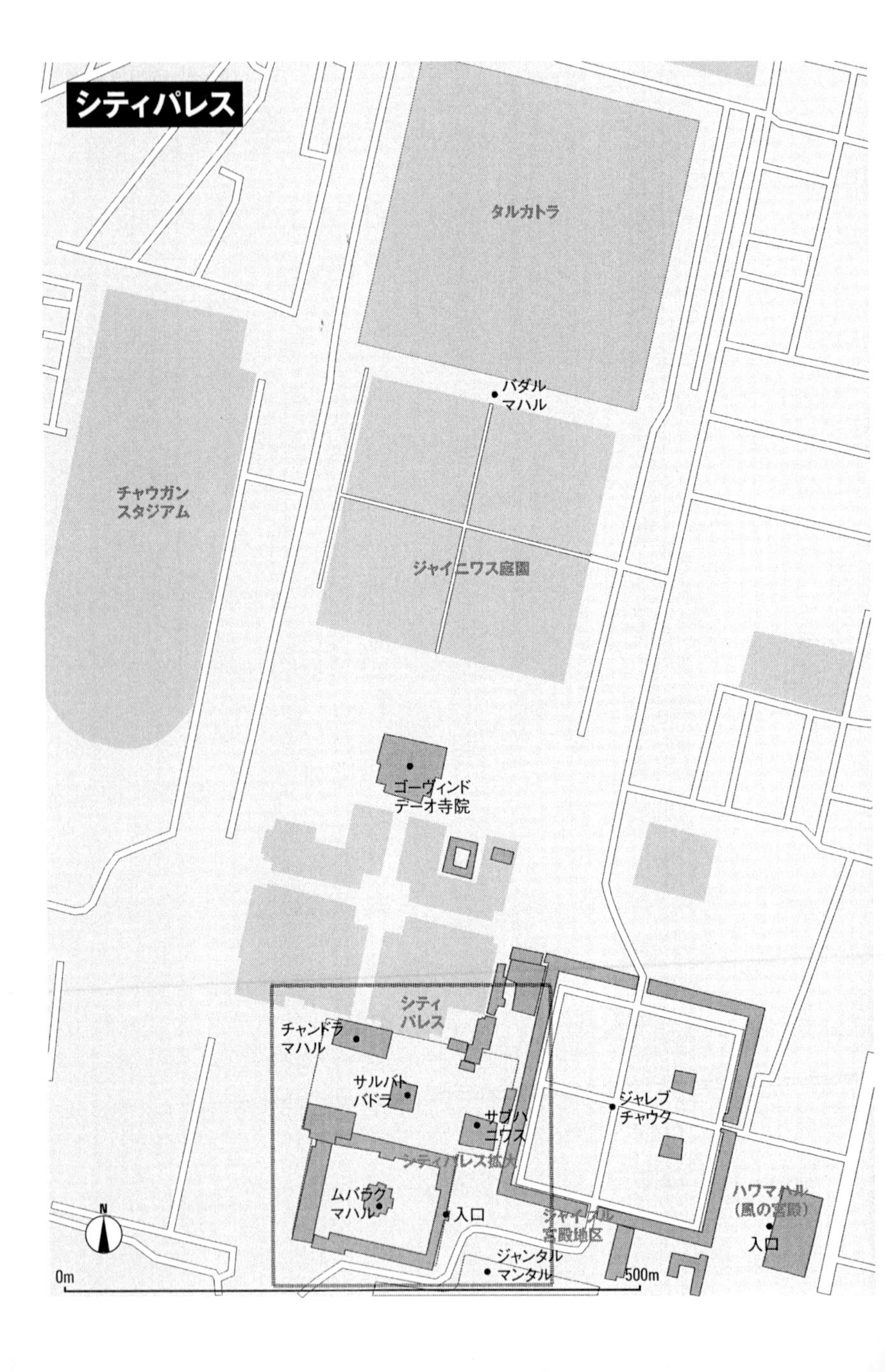

シティパレス
タルカトラ
バダル
マハル
チャウガン
スタジアム
ジャイニワス庭園
ゴーヴィンド
デーオ寺院
シティ
パレス
チャンドラ
マハル
サルバト
バドラ
サブハ
ニウス
ジャレブ
チャウク
シティパレス拡大
ムバラク
マハル
入口
ジャイプル
宮殿地区
ジャンタル
マンタル
ハワマハル
(風の宮殿)
入口
N
0m
500m

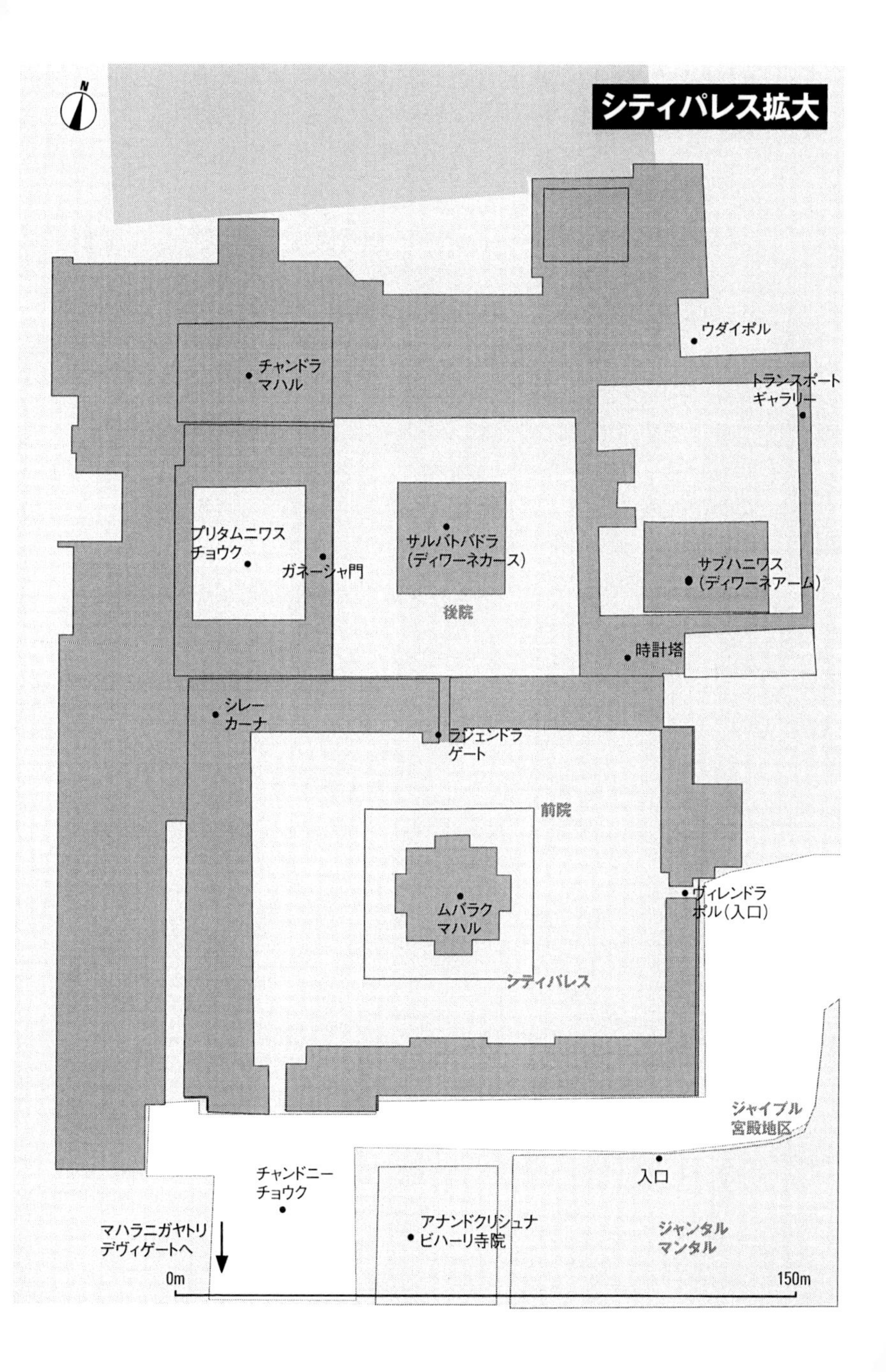

N
シティパレス拡大
ウダイポル
チャンドラ
マハル
トランスポート
ギャラリー
プリタムニワス
チョウク
ガネーシャ門
サルバトバドラ
(ディワーネカース)
サブハニワス
(ディワーネアーム)
後院
時計塔
シレー
カーナ
ラジェンドラ
ゲート
前院
ムバラク
マハル
ヴィレンドラ
ポル(入口)
シティパレス
ジャイプル
宮殿地区
入口
チャンドニー
チョウク
アナンドクリシュナ
ビハーリ寺院
ジャンタル
マンタル
マハラニガヤトリ
デヴィゲートへ
0m
150m

ジャの暮らす中心部の「シティ・パレス」のみを「パレス(宮殿)」と呼んでいる。このシティ・パレスに隣接して、南にトリポリア・バザール、東にジョハリ・バザールといったジャイプルを代表するバザールが走る。宮殿区域に入るには、南側の「トリポリア・ゲート(マハラニ・ガヤトリ・デヴィ・ゲート)」、ジャレブ・チョウクのある東側の「ウダイ・ポル」があり、ジャンタル・マンタルに面した「ヴィレンドラ・ポル」が現在、シティ・パレスに入る直接的な入口となっている。シティ・パレス内部は中庭をもつ宮殿群が奥に連続する様式で、前院に「ムバラク・マハル」が立ち、後院には「サルバト・バドラ(ディワーネ・カース)」、「チャンドラ・マハル」などが位置する(両者を「ラジェンドラ・ゲート」が結ぶ)。後院の背後にはジャイプル王族の守護神をまつる「ゴーヴィンド・デーオ寺院」が立ち、さらにその奥には貯水池タル・カトラが残る。

★★★

シティ・パレス *City Palace*
ジャンタル・マンタル *Jantar Mantar*
ハワ・マハル(風の宮殿) *Hawa Mahal*

★★☆

ラジェンドラ・ゲート *Rajendra Gate*
サルバト・バドラ(ディワーネ・カース) *SarvatoBhadra(Diwan-e Khas)*
チャンドラ・マハル(プリタム・ニワス・チョウク) *Chandra Mahal*
ゴーヴィンド・デーオ寺院 *Govindji Mandir*

★☆☆

チャンドニー・チョウク *Chandni Chowk*
アナンド・クリシュナ・ビハーリ寺院 *Anand Krishna Bihari Mandir*
ムバラク・マハル *Mubarak Mahal*
サブハ・ニワス(ディワーネ・アーム) *Sabha Niwas (Baggi Khana、Diwan-e Aam)*
シレー・カーナ *Sileh Khana*
ジャイ・ニワス庭園 *Jai Niwas Garden*
タル・カトラ *Tal Katora*
チャウガン・スタジアム *Chaugan Stadium*
ジャレブ・チャウク *Jalab Chowk*

ジャイプルを造営したジャイ・シン2世

　ジャイプルのカッチワーハ・ラージプートは、より強大なシソーディア・ラージプート(ウダイプル)に対抗するため、ムガル帝国(デリー、アーグラ)の宗主権を認めて、自らの地位を守る方針を決めた(そのため、ジャイプルの建築は、ラージプート様式とムガル様式が融合している)。サワイ・ジャイ・シン2世(1686～1743年)は、マハラジャ・ビシャン・シンの死後、11歳にしてアンベール国の王となり、早くからその才能が認められていた。ムガル帝国下の太守、勇猛な武将であったほか、インドの古典、イスラムやヨーロッパの科学にも通じた数学者、天文学者としても有名で、計画都市ジャイプルや天文台ジャンタル・マンタルの造営など、後世に残る事業を行なっている。サワイ・ジャイ・シン2世という名称は、宗主国であるムガル帝国のアウラングゼーブ帝から「サワイ(「1と4分の1」を示し、カッチワーハ家の祖先ジャイ・シンよりも偉大だという意味)」という称号を受けたもので、ムガル帝国の没落期にあって輝きを放った近世インドを代表する人物として知られる。ジャイ・シン2世死後、ジャイプルは他のラージプートやマラータの攻撃を受けることになった。

マハラニ・ガヤトリ・デヴィ・ゲート ★☆☆

Maharani Gayatri Devi Gate　㋪ महारानी गायत्री देवी गेट
㋒ مہارانی گایتری دیوی گیٹ

　シティ・パレス(宮殿地区)への南側の入口となっているマハラニ・ガヤトリ・デヴィ・ゲート。南側の正門はトリポリア・ゲートだが、こちらはジャイプル王族が使う門のため、そのすぐ西側のマハラニ・ガヤトリ・デヴィ・ゲートが通用門の役割を果たしている。

チャンドニー・チョウク ★☆☆

Chandni Chowk ⓗचांदनी चोक ／ⓤچاندنی چوک

シティ・パレスの南門(マハラニ・ガヤトリ・デヴィ・ゲート)を抜けた先にある広場のチャンドニー・チョウク。チャンドニー・チョウクとは「月の広場」を意味し、シティ・パレスとジャンタル・マンタル双方への足がかりになる。宮殿地区の中庭の役割を果たしている。

アナンド・クリシュナ・ビハーリ寺院 ★☆☆

Anand Krishna Bihari Mandir／ⓗआनंद कृष्ण बिहारी मंदिर ⓤآنند کرشنا بہاری مندر

ジャイプル王家の暮らすシティ・パレスを守護するアナンド・クリシュナ・ビハーリ寺院。クリシュナ神はジャイプル王家の守護神で、この寺院は中庭をもつハーヴェリー様式となっている。もともとジャンタル・マンタルの敷地の一部(西側)だった場所で、この寺院やハワ・マハルの建立にあわせて天文機器が移動させられることもあった。

ムバラク・マハル ★☆☆

Mubarak Mahal ⓗमुबारक महल ／ⓤمبارک محل

シティ・パレスに入った中庭(前院)の中央に立つムバラク・マハル。1900年、マハラジャ・マドー・シン2世によって外国の客人を迎えるレセプションの宮殿として建てられた。1925年からは州評議会の事務所に転用され、現在はジャイプル宮廷が収集したインドの織物(テキスタイル)を展示する博物館となっている。マハラジャの愛用したシルクのガウンやパシュミナのショール、サンガネールのプリント生地、バナラシのシルクのサリー、衣類や布地などが見られる。

前院と後院をつなぐラジェンドラ・ゲート

今なおここでマハラジャが暮らしている

ターバン姿の男性、ラジェンドラ・ゲートにて

精緻な浮き彫りが見られるムバラク・マハル

チャンドラ・マハルの孔雀ゲート

宮殿のあらゆるところから見えるクロック・タワー

ラジェンドラ・ゲート ★★☆

Rajendra Gate ㋪राजेंद्र गेट ／㋒راجندر گیٹ

シティ・パレスの前方（前院）と、奥の空間（後院）を結ぶラジェンドラ・ゲート（ラジェンドラ・ポル）。門番が立ち、両脇には一枚の大理石から掘り出された、二頭の象の彫刻がおかれている。門のアーチはムガル建築で見られるイワン様式で、内部空間と外部空間を結ぶ。

サルバト・バドラ（ディワーネ・カース） ★★☆

Sarvato Bhadra（Diwan-e Khas） ㋪सर्वतोभद्र(दीवान-ए-खास) ／㋒دیوان خاص

マハラジャが貴族や大臣、来客に謁見したサルバト・バドラ（一般謁見殿ディワーネ・カース）。開放的な空間をもつ宮殿で、石の柱が続いていく。巨大な銀壺がふたつおかれていて、1902年にイギリス国王の戴冠式のために渡英したマハラジャ・マドー・シン2世はこの壺のなかにガンジス河の水を入れてイギリスまでたずさえ、沐浴に使ったという逸話が残っている（また渡英にあたって、異国の食材を清めるため、マハラジャはガンジス河の水を携帯したという）。

チャンドラ・マハル（プリタム・ニワス・チョウク） ★★☆

Chandra Mahal／㋪चन्द्र महल ／㋒چندر محل

シティ・パレスの中心的な建物となっている白大理石製の7階建てのチャンドラ・マハル（月の宮殿）。前方（1階）の中庭プリタム・ニワス・チョウクは開放されていて、4つの門があり、それぞれ孔雀など嗜好をこらした装飾が残る（蓮の門、薔薇の門、孔雀の門、緑の門というように四季とヒンドゥー教の神さまをテーマにした4つの門が立つ）。王族の衣服や工芸品、写本などが展示された博物館となっていて、プリタム・ニワス・チョウクの奥と、上階はマハラジャ一族の居住空間で立ち入ることはできない。1947年のインド独立にあたって、マハラジャも一市民となったが、しばらくのあいだ年金の保証など優待条件が適用された。

サブハ・ニワス(ディワーネ・アーム) ★☆☆

Sabha Niwas（Baggi Khana,Diwan-e Aam） ㋪दीवान-ए-आम
㋒دیوانِ عام

　サルバト・バドラ(ディワーネ・カース)の東側に立つ謁見殿サブハ・ニワス(ディワーネ・アーム)。マハラジャが貴族や官吏、イギリス総督と謁見するための貴賓謁見殿として設計され、家具、美術品、照明、ジャイプルの歴代マハラジャの肖像画などが見られる。このうちヒンドゥー教の偶像を運ぶ馬車クルジ・カ・ラタ、1876年にプリンス・オブ・ウェールズからマハラジャに贈られたヴィクトリア・バギーなどの馬車や輿を展示する博物館は、バギー・カーナと呼ぶ。サブハ・ニワスの南側には時計塔が立つ。

シレー・カーナ ★☆☆

Sileh Khana／㋪सिलेह खाना ㋒سلیح خانہ

　シレー・カーナとは「武器の保管庫」を意味する。宮殿の北西隅に位置し、マハラジャが使った武器、職人による剣、短剣、拳銃、鎧、兜などを収蔵する。

ゴーヴィンド・デーオ寺院 ★★☆

Govindji Mandir ㋪गोविन्द देव जी मंदिर ㋒گووند دیو جی مندر

　チャンドラ・マハルの背後に立ち、マハラジャの住居から直接見られるゴーヴィンド・デーオ寺院。ここはサワイ・ジャイ・シン2世による離宮スーラジ・マハルがあった場所だと言われ、現在は牛飼いクリシュナのゴーヴィンド・デーオ神がまつられている。もともとこの寺院に安置された像は、クリシュナが牧女とたわむれたというブリンダーバン(マトゥラー近く)にあったが、18世紀、アウラングゼーブ帝の極端なイスラム化政策から逃れるために、ジャイプルへ移された。ジャイプル造営後の1735年にこ

ガンジス河の水を入れたという巨大な銀の壺

ムガルとラージプート様式が融合した建築スタイル

城壁都市ジャイプルの一番奥に王族の宮殿があった

マハラジャの着ていた高貴な服

のゴーヴィンド・デーオ寺院も建てられ、カッチワーハ・ラージプートの守護神となった（熱心なヒンドゥー教徒でもあったジャイ・シン2世は「ゴーヴィンド・デーオの下僕」と称し、その伝統はジャイプル王家に代々受け継がれている）。寺院は、絵画や彫刻、金箔で彩られ、1日7回、人びとの前に出て礼拝が行なわれる。ゴーヴィンド・デーオ（クリシュナ）はヴィシュヌ神の化身とされ、ジャイプルにはヒンドゥー教ヴィシュヌ派の寺院が多く残る。

ブリンダーバンからジャイプルへ

実際にクリシュナが活躍して数々の伝説を残したブリンダーバンは、「クリシュナ神の聖地」として信仰を集め、なかでも16世紀末にムガル帝国第3代アクバル帝の樹立したゴーヴィンド・デーオ寺院が知られていた。一方で、第6代アウラングゼーブ帝は熱心なイスラム教信者であったため、偶像崇拝を認めず、ブリンダーバンのクリシュナ像も破壊の憂き目にあった。こうして、ヒンドゥー教徒のラージプート諸族のもとにヒンドゥー教の影像やヒンドゥー教団が逃れてきたが、ジャイプルのゴーヴィンド・デーオ像もそのひとつだった。このゴーヴィンド・デーオ像は、クリシュナの孫にあたるバルジャナーブが13歳のときにつくったと言われ、造像を3度試み、最後のものがゴーヴィンド・デーオ（クリシュナ）そっくりだと祖母に認められたという。

ジャイ・ニワス庭園 ★☆☆

Jai Niwas Garden／㋪जय निवास गार्डन ／㋒جے نِواس گارڈن

ジャイ・ニワス庭園は、ジャイ・シン2世（1686～1743年）が最初に狩りのための小屋を築いたジャイプル発祥の地とも言える場所。1727～29年に計画都市ジャイプルが築かれる以前の1726年からあり、ジャイ・シン2世はアンベール・フォートから狩りに出かけ、この地に小屋を建て、池を掘るなどしていた（森林が茂り、小さな村があるだけだったジャイプルの地の重要性に、早くから着目していたと）。そしてカッチワーハ・ラージプート（カッチワーハ家）の城は、アラヴァリ山系の中腹のアンベール・フォートからジャイプルへと遷った。ジャイ・ニワスはジャイプルの造営にあたって宮殿地区にとりこまれ、王家の女性たちがたわむれる庭となっていた。ムガル様式の影響を受けたバダル・マハルが立つ。

タル・カトラ ★☆☆

Tal Katora／Ⓗताल कटोरा Ⓤتال کٹورا

シティ・パレスの北側に広がる貯水池タル・カトラ。ジャイ・シン2世（1686〜1743年）はジャイプル造営以前からあった池のタル・カトラのそばにまず狩り小屋を建て、その後、このタル・カトラを整備し、小さな居城とジャイ・ニワス庭園（1726年造営）を築いたという。アンベールからジャイプルへの遷都理由のひとつには水不足があった（アンベールではいくつもの階段井戸が掘られていた）。

チャウガン・スタジアム ★☆☆

Chaugan Stadium／Ⓗचौगान स्टेडियम／Ⓤچوگن اسٹیڈیم

シティ・パレスの西側に隣接する広大な敷地をもったチャウガン・スタジアム。ここでジャイプル王族がポロを行ない、レスリングや象とライオンの対決も行なわれた。現在は3月にジャイプル名物の象の祭り（エレファント・フェスティバル）が開催され、象のポロ競技、象と人間の綱引き、馬やラクダも登場する。

Jantar Mantar

ジャンタルマンタル鑑賞案内

巨大な三角定規状の観測機
地上に掘られた円形のお椀
野外天文台のジャンタル・マンタル

ジャンタル・マンタル ★★★

Jantar Mantar ㊦जंतर मंतर ㊆جنتر منتر

ジャイプル旧市街の中心部、マハラジャの宮廷に隣接する天文観測所ジャンタル・マンタル。ジャンタル・マンタルとはサンスクリット語のヤントラ・マントラのことで、ヤントラは「機器」を、マンタルは「計測」を意味する。天文学に造詣が深かったジャイ・シン2世(1686〜1743年)は、ジャイプルの都市造営よりも先にジャンタル・マンタルの建設を考え、1718年に建設がはじまり、1728年にはかなりの天文機器があった(シティ・パレス完成後の1734年に完成し、造営は1738年まで続いた)。旧市街が15度かたむいているのに対してジャンタル・マンタルは北極星への南北の軸にあわせて造営され、天文学者、石工や彫刻家、ポルトガルのイエズス会の技術などが結集された。ジャンタル・マンタルの天文機器はイスラム教の伝統から、計算技術はヒンドゥー教の伝統に由来するという。ここでジャイ・シン2世は、肉眼で太陽の運行や、黄道十二宮の星座などの天体を観測したり、時間を測定して、星表をつくってムガル皇帝へ献上している。ジャンタル・マンタルには、三角形や円形など幾何学的なかたちを組みあわせた石、大理石製の巨大な18個の天文機器(あわせて35基)がならんでいて、サムラート・ヤントラは世界最大の石づくりの日時計と

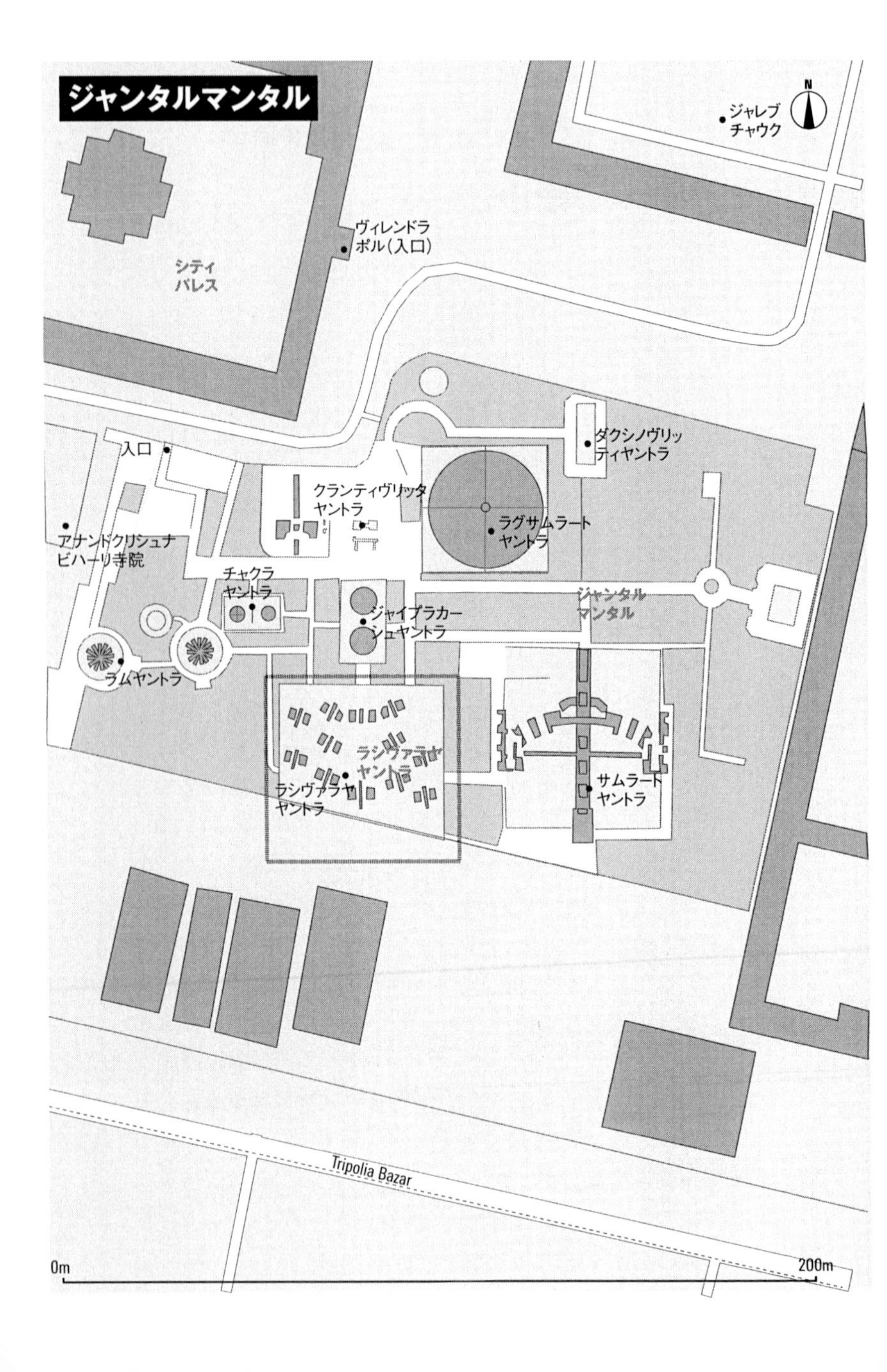
ジャンタルマンタル
N
ジャレブ
チャウク
ヴィレンドラ
ポル（入口）
シティ
パレス
ダクシノヴリッ
ティヤントラ
入口
クランティヴリッタ
ヤントラ
ラグサムラート
ヤントラ
アナンドクリシュナ
ビハーリ寺院
チャクラ
ヤントラ
ジャイプラカー
シュヤントラ
ジャンタル
マンタル
ラムヤントラ
ラシヴァラヤ
ヤントラ
ラシヴァラヤ
ヤントラ
サムラート
ヤントラ
Tripolia Bazar
0m
200m

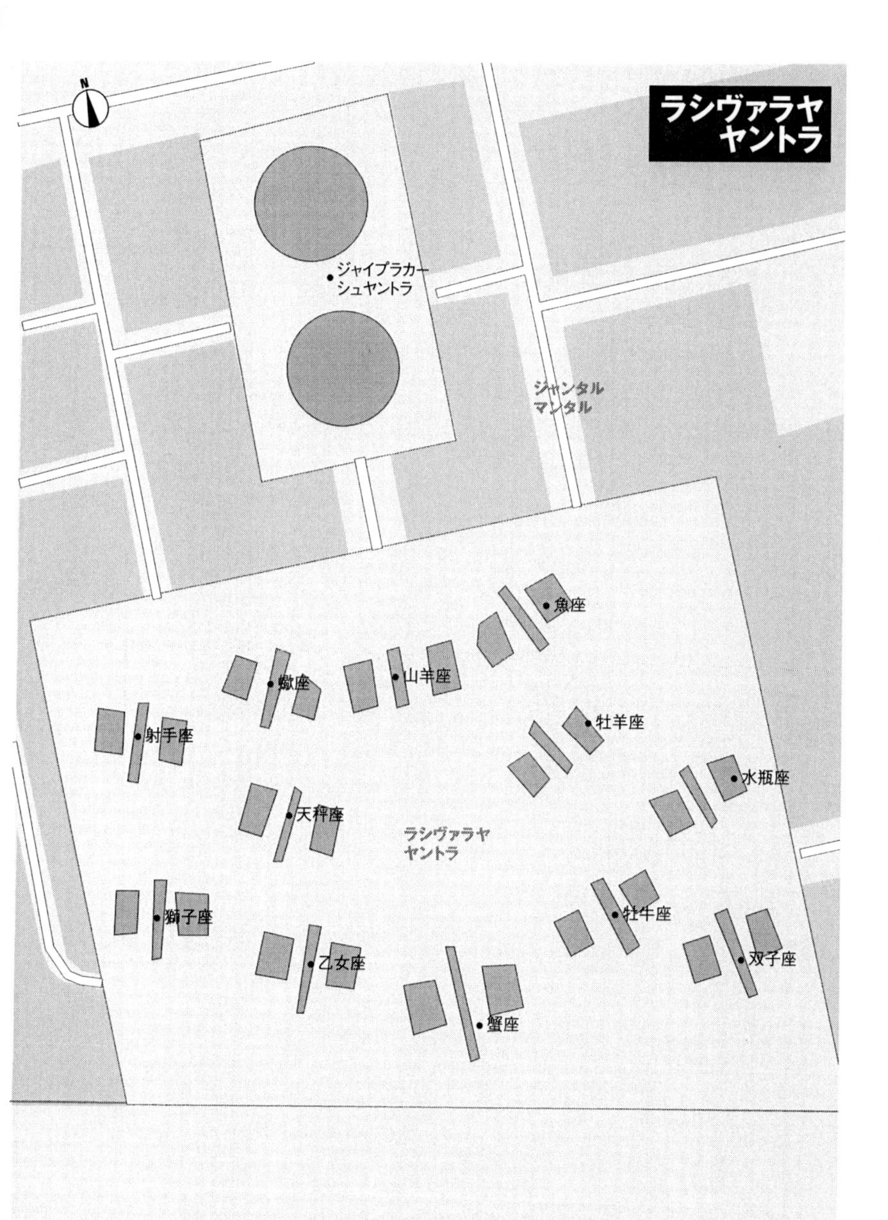
N
ラシヴァラヤ
ヤントラ
ジャイプラカー
シュヤントラ
ジャンタル
マンタル
魚座
蠍座
山羊座
牡羊座
射手座
水瓶座
天秤座
ラシヴァラヤ
ヤントラ
獅子座
牡牛座
乙女座
双子座
蟹座
0m
30m

なっている(また敷地内には、アショカの木が生えている)。ジャイ・シン2世が北インド各地に建てた5つのジャンタル・マンタルのなかでももっとも大きく、現在は世界遺産に登録されている。

巨大天文観測所の造営

1719年、デリーのムガル帝国のものと、アンベールのジャイ・シン2世(1686〜1743年)の使っている天文観測機器の結果で6分のズレが生じた。数学者、天文学者でもあったジャイ・シン2世は、アラブやペルシャ、ヨーロッパなど世界各地から文献をとりよせ、かつイスラム天文学の伝統をもつウルグ・ベグの天文台(サマルカンド)を参考にして、ジャンタル・マンタルの建設にとりかかった(当時、すでにヨーロッパでは望遠鏡が発明されていた)。最初のジャンタル・マンタルは、1724年にムガル帝国の都デリーにつくられ、観測機器は金属製ではなく、たわみのでない石づくりのものが採用され、それまでにないほど巨大な観測機となった(より大きいほうが正確な測定ができると考え、高さ27mのサムラート・ヤントラはその巨大さから2秒単位で時間を計測できる)。その後、ア

★★★
ジャンタル・マンタル *Jantar Mantar*
シティ・パレス *City Palace*

★★☆
サムラート・ヤントラ *Vrihat Smarat Yantra*
ラシヴァラヤ・ヤントラ *Rashi Valaya Yantra*

★☆☆
ラグ・サムラート・ヤントラ *Lagh Samrat Yantra*
ラム・ヤントラ *Ram Yantra*
ジャイ・プラカーシュ・ヤントラ *Jai Prakash Yantra*
チャクラ・ヤントラ *Chakra Yantra*
クランティ・ヴリッタ・ヤントラ *Kranti Vritta Yantra*
ダクシノヴリッティ・ヤントラ *Dakshino Vritti Yantra*
トリポリア・バザール *Tripolia Bazar*
ジャレブ・チャウク *Jalab Chowk*
アナンド・クリシュナ・ビハーリ寺院 *Anand Krishna Bihari Mandir*

ンベールからジャイプルへの遷都にあわせて、ジャイプルのジャンタル・マンタルも建設され、1734年に完成した。

サムラート・ヤントラ ★★☆

Vrihat Smarat Yantra／㊱सम्राट यंत्र　㋒سمرات یانتر

ジャンタル・マンタルの中心にあり、天文機器のなかでも一際目をひく「日時計の王さま」サムラート・ヤントラ。南北に配置された高さ27m、底面44.58mの巨大な観測器具で、方角と傾斜は天上で「不動の北極星」にあわせてある（26度55分27秒の角度で、ちょうどジャイプルの緯度に等しい）。階段をのぼったところの斜辺に目盛りがあり、太陽の光を受けた針の影は1分間に6cm移動し、針の影を測る目盛りは30にわかれていることから、2秒単位で時間を読みとることができる。1732年ごろからこの器具の構想がはじまり、1735年には完成した。頂部の亭から、正午の時間や日蝕、雨やモンスーンを告げたという。

サムラート・ヤントラで時間をはかる

サムラート・ヤントラの斜面の延長線は北極星に重なり、高さ27mの三角形の本体はちょうど南北に正しく配置されている。そして高さ27mの本体がノーモン（日影棒）となり、それが映した影で時間をはかる。太陽の光にあわせてノーモン（日影棒）による影の位置は変わっていくが、その影を受けとめる半径15mの半円形状（翼状）の文字盤が本体の東西に配置されている。この文字盤のメモリのうえを、ノーモン（日影棒）の影が1時間で4m、1分（60秒）で6cm（60mm）、移動していく。文字盤のメモリは2mmごとにつけられているため、1分（60秒）の「30分の1」である2秒の精度で、時間を計測できる。

高さ27mのサムラート・ヤントラ

太陽の角度から季節を把握するナディ・ヴァラヤ・ヤントラ

地面をくり抜いて天文機器として使った

ハワ・マハルから見たジャンタル・マンタルと宮殿地区

細かく時を計測できるラグサムラート・ヤントラ

ラグ・サムラート・ヤントラ ★☆☆

Lagh Samrat Yantra　Ⓗलघु सम्राट यंत्र　Ⓤلگھو سمراٹ ینترا

入口近くにおかれたラグ・サムラート・ヤントラ。サムラート・ヤントラを小さくした日時計で高さ6mとなっている。北極星に向かって配置され、太陽の光を影で映してジャイプルの時間を知らせる。階段状の計測器には細かい目盛りが刻まれていて、20秒単位で時間を把握できるという。

ラム・ヤントラ ★☆☆

Ram Yantra／Ⓗराम यंत्र／Ⓤرام ینترا

敷地内でもっとも西側にある一対の観測機ラム・ヤントラ。12の柱で円をつくり、太陽が落とす影から太陽の高度と方位を測定する。12の柱がつくる筒状の観測機の中心にはポールが立っていて、12の柱がつくる壁の内部に、天体の高度と方位を示す目盛りが刻まれている。同様の天文機器がデリーにも残っている。ジャイ・シン2世の時代につくられたあと、1891年にサワイ・マドー・シンによって再建された。

ジャイ・プラカーシュ・ヤントラ ★☆☆

Jai Prakash Yantra／Ⓗजय प्रकाश यंत्र／Ⓤجے پرکاش ینترا

天体の赤道座標と、地平座標をはかるための機器ジャイ・プラカーシュ・ヤントラ。20.5m ×11.22mの敷地に、直径5mほどの半円球が地面に繰りぬかれていて、観測者はこのなかに入って太陽の影を測定したという。天体の方位、仰角、時角などの位置を把握できる。

チャクラ・ヤントラ ★☆☆

Chakra Yantra／Ⓗचक्र यंत्र　Ⓤچکر ینترا

星座や惑星の位置をはかるためのチャクラ・ヤントラ。空中にリング状の鉄製円形器具を配置し、その両脇にジャイ・プラカーシュ・ヤントラと同じように地面を繰りぬいたふたつの半球が配置されている。このチャクラ・ヤントラで、太陽の座標と時間の角度を測定する。

クランティ・ヴリッタ・ヤントラ ★☆☆

Kranti Vritta Yantra／Ⓗ क्रांतिवृत्त यंत्र　Ⓤ کرانتی ورتا ینترا

小さな天体観測器具クランティ・ヴリッタ・ヤントラ。黄道器具と呼ばれる金属製の器具をくみあわせて天体の位置をはかる。南側には季節を測るナディ・ヴァラヤ・ヤントラが位置する。

ラシ・ヴァラヤ・ヤントラ ★★☆

Rashi Valaya Yantra　Ⓗ राशि वलय यंत्र　Ⓤ راشی والیا ینترا

黄道十二宮を観測するための機器ラシ・ヴァラヤ・ヤントラ。それぞれの星座に向かって12機がそなえつけられているため、方向やかたちに統一性がない。各星座が南中したときに、天体の緯度や経度をはかるのだという（南中とはある天体が日周運動で、子午線を通過すること。たとえば太陽は、正午に南中する）。造営にあたってジャイ・シン2世自ら指揮をした。

ダクシノ・ヴリッティ・ヤントラ ★☆☆

Dakshino Vritti Yantra／Ⓗ दक्षिणोदक भित्ति यंत्र ／Ⓤ دکشینو ورتی ینترا

サムラート・ヤントラ北側に位置するダクシノ・ヴリッティ・ヤントラ。太陽の高度をはかれるほか、壁面で時刻を知ることができる日時計。逆半円形の特徴的な外観をもつ。

天体を測ることは王権と結びついた、写真は中国北京の故宮

ジャンタル・マンタル前にいたへび使い

地面に埋め込まれた半球型のジャイ・プラカーシュ・ヤントラ

Toki Wo Kizamu

「とき」を刻む天体観測

古来、人類は天体の運行を観測し
季節を知り、「とき」を刻んできた
天文学はもっとも原初的な科学だと言われる

「とき」をはかる

「太陽の日差しはいつ陰から陽へ転ずるか(冬至)」「農耕をいつ開始するか(春分)」。人類にとって天体を観測し、季節を把握することは宗教祭祀、農耕などで必要不可欠なものだった。メソポタミア、中国、ギリシャなどの古代世界ではいずれも、太陽の運行や月の満ちかけを観察して「とき」をはかる暦がつくられてきた。地球が太陽のまわりを一周する1年は365日ではなく、正確には365日と5時間48分46秒。そのため古今東西の天文学者がより正確な「とき」を知るために、いくつもの暦がつくられ、それは王権と密接に結びついてきた(コンピュータという言葉が、暦算法と同じコンプトゥス を語源とする)。現在、日本では4年に一度閏日(2月29日)を入れるなどして調節するグレゴリオ暦が使用されている。

インドと天文学

インドでは紀元前500年ごろには暦法が記された『ジョーティシャ・ヴェーダーンガ』という天文学書があったという。その後、紀元前後にはギリシャ天文学がインドに伝わり、それをもとに黄道十二宮や太陽の運行が調べられるようになった。また14世紀にイスラム王朝が成立すると、当時、世界最先端だったイスラム天文学が伝えられ、ジャンタル・マンタルの建設にも影響をあたえている。このようにインドの天文学は、西欧やイスラムの天文学の影響を受けながら、インド独特のものとして発展してきた。自分の守護星などが細かく記されたホロスコープ(誕生占い)は、結婚や就職などでも幅広く使用されている。

インドの暦

1957年からインドで公式に実施されているシャカ暦は、中央アジアからのシャカ族がインダス河流域を征服した紀元前57年を元年とする太陽暦で、3月22日を元旦とする。インドでは、シャカ暦のほかに西暦、ヴィクラマ暦、ヒジュラ暦など数十種類の暦法が使われているという。これは多様な宗教や民族がそれぞれの暦をもっているためで、たとえばイスラム教徒が使うヒジュラ暦は太陰暦であるため(1年が354日)、毎年、元旦の季節がずれていく。

インド各地に残るジャンタル・マンタル

天文学に深い関心を寄せていたジャイプルのマハラジャ、ジャイ・シン2世。フランスの数学者ラ・イールの表はじめ、アラブ、ペルシャなど各地の資料をとりよせ、天文台の建設を試みた。1724年、最初に建てられたのが、宗主ムガル帝国の都デリーのもので、その後、1734年までのあいだにジャイプル、ウッジャイン、バラナシ、マトゥラーにジャンタル・マンタルを造営した(マトゥラーには現存しない)。それらはヒンドゥー教の聖地となっていて、マハラジャが沐浴や巡礼に訪れ、その離宮もおかれていた。

Hawa Mahal

ハワマハル鑑賞案内

蜂の巣のように見える多数の窓
そこからなかには心地よい風が吹いてくる
ジャイプルを象徴する建築ハワ・マハル(風の宮殿)

ハワ・マハル(風の宮殿) ★★★

Hawa Mahal/Ⓗ हवा महल　ⓤ ہوا محل

ジャイプル宮殿地区の南東端、人びとの行き交う大通りに面して立つハワ・マハル(風の宮殿)。1799年、ジャイ・シン2世の孫にあたり、詩人でもあったサワイ・プラタップ・シン(1764年〜1803年)によって建てられたもので、高く、風のめぐるこの宮殿で王家が避暑を行なった(宮殿が増築された)。ハワ・マハルの創建は、伝統的に隔離され、人前に出ることの限られていた王族の女性が、バザールのにぎわいや外の通りを見るようにするためだと言われる(ラージプート王室の女性は見知らぬ人に見られたり、公共の場に現れたりしなかったが、この建物を通して、毎日、外の世界に接することができた)。赤砂岩を素材とする5階建ての建物には953の窓があり、それらは透かし彫りがほどこされ、中から外は見られるが、外から中は見ることができないという建築上の工夫がされている。そして、953の窓から常時、建築内部へ風が入ってきて、風のめぐりがよいように設計されているため、「ハワ・マハル(風の宮殿)」と名づけられた。チャトリが連なるデザインと、精緻な彫刻がほどこされた美しい建築は、ジャイ・シン2世の死後もアンベール王家の繁栄が続いたことを端的に示すものだという。王家の守護神クリシュナとラーダーに捧げられている。

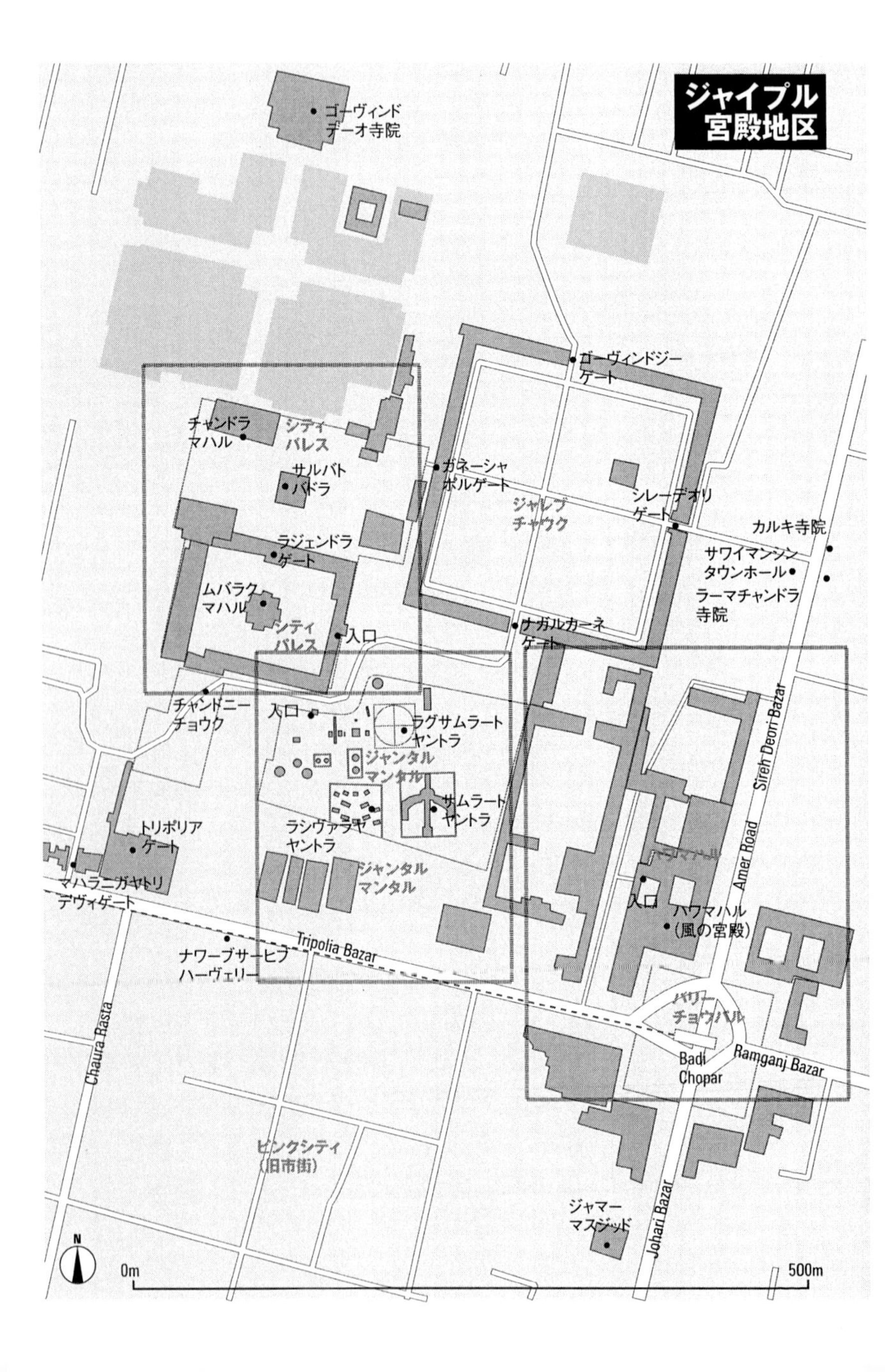
ジャイプル
宮殿地区
ゴーヴィンド
デーオ寺院
ゴーヴィンドジー
ゲート
チャンドラ
マハル
シティ
パレス
サルバト
バドラ
ガネーシャ
ポルゲート
ジャレブ
チャウク
シレーデオリ
ゲート
カルキ寺院
サワイマンシン
タウンホール
ラーマチャンドラ
寺院
ラジェンドラ
ゲート
ムバラク
マハル
シティ
パレス
入口
ナガルカーネ
ゲート
チャンドニー
チョウク
入口
ラグサムラート
ヤントラ
ジャンタル
マンタル
サムラート
ヤントラ
ラシヴァラヤ
ヤントラ
トリポリア
ゲート
マハラニガヤトリ
デヴィゲート
ジャンタル
マンタル
Sireh Deori Bazar
Amer Road
入口
ハワマハル
(風の宮殿)
Tripolia Bazar
ナワーブサーヒブ
ハーヴェリー
バリー
チョウパル
Badi
Chopar
Ramganj Bazar
Chaura Rasta
ピンクシティ
(旧市街)
ジャマー
マスジッド
Johari Bazar
N
0m
500m

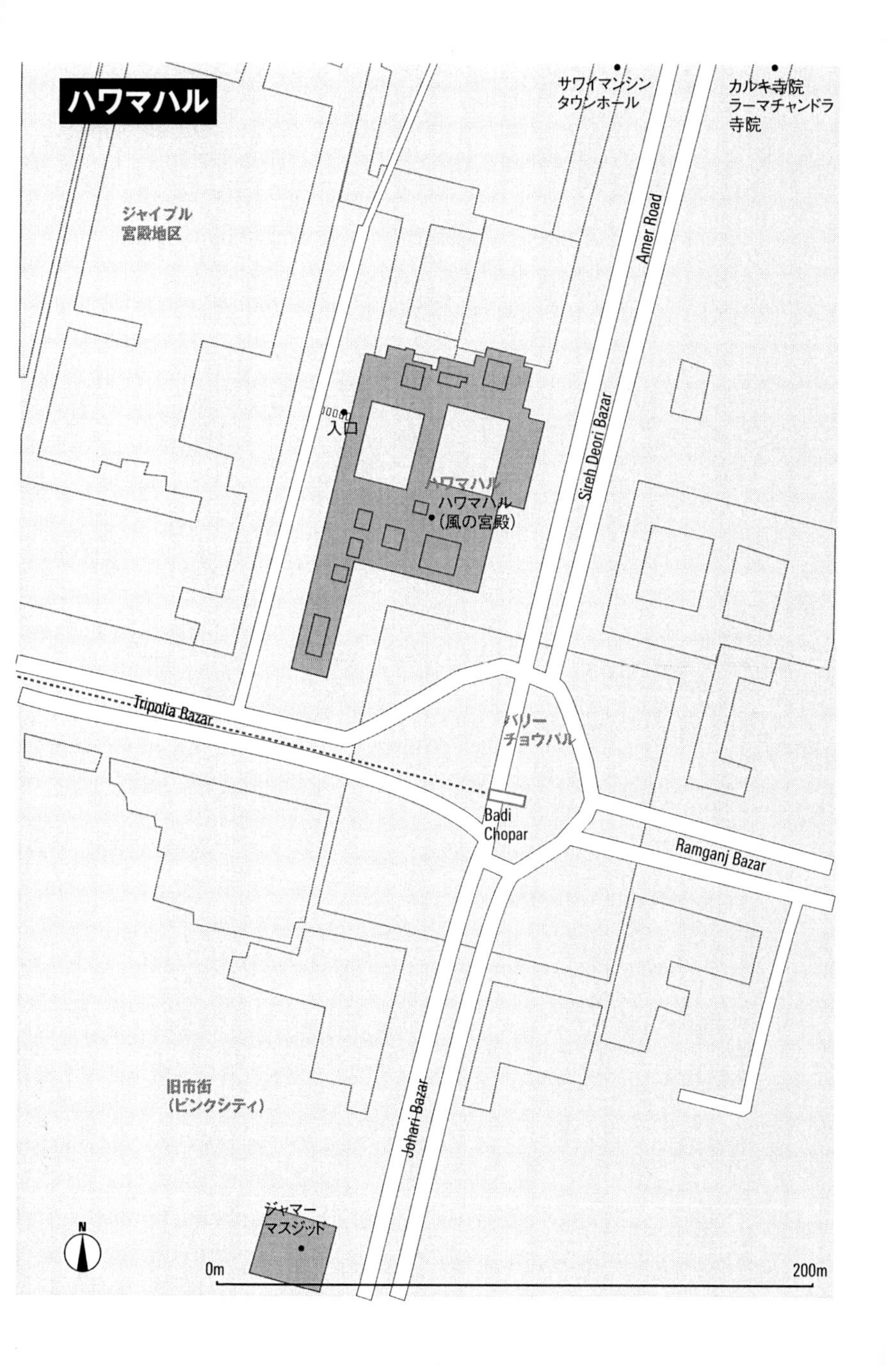

ハワマハル
サワイマンシン
タウンホール
カルキ寺院
ラーマチャンドラ
寺院
ジャイプル
宮殿地区
Amer Road
入口
ハワマハル
ハワマハル
（風の宮殿）
Sireh Deori Bazar
Tripolia Bazar
バリー
チョウパル
Badi
Chopar
Ramganj Bazar
旧市街
（ピンクシティ）
Johari Bazar
ジャマー
マスジッド
N
0m
200m

ハワ・マハル建築の特徴

ハワ・マハル(風の宮殿)は、ムガルとラージプートが組みあわされた設計(ヒンドゥー教とイスラム教建築が融合)で、赤とピンクの砂岩を素材とする。基礎をもたない最高峰(5階建て)の建築だと言われ、設計を担当したラール・チャンド・ウスタは、建物を湾曲(87度の角度で傾斜)させることで構造を強化し、直立を維持させた。頂部が高く、両端が低くなるアーチ型の外観は「クリシュナ神の王冠」にもたとえられ、ジャイプルの象徴的建造物となっていた。もっとも特筆されるのが、外壁一面にそなえられた953の窓で、複雑な細工で飾られた格子状の小さな窓を「ジャロカー」と

★★★

シティ・パレス *City Palace*
ジャンタル・マンタル *Jantar Mantar*
ハワ・マハル(風の宮殿) *Hawa Mahal*
ピンク・シティ(ジャイプル旧市街) *Pink City*

★★☆

ラジェンドラ・ゲート *Rajendra Gate*
サルバト・バドラ(ディワーネ・カース) *SarvatoBhadra (Diwan-e Khas)*
チャンドラ・マハル(プリタム・ニワス・チョウク) *Chandra Mahal*
ゴーヴィンド・デーオ寺院 *Govindji Mandir*
サムラート・ヤントラ *Vrihat Smarat Yantra*
ラシヴァラヤ・ヤントラ *Rashi Valaya Yantra*
バリー・チョウパル *Badi Chaupar*
ジョハリ・バザール *Johari Bazar*

★☆☆

サワイ・マン・シン・タウン・ホール *Sawai Man Singh Town Hall*
シレー・デオリ・バザール *Sireh Deori Bazar*
ラーマチャンドラ寺院 *Ramchandra Mandir*
カルキ寺院 *Kalki Mandir*
ジャレブ・チャウク *Jalab Chowk*
ナワーブ・サーヒブ・ハーヴェリー *Nawab Sahib Ki Haveli*
チョウラ・ラスタ *Chaura Rasta*
ジャマー・マスジッド *Jama Masjid*
トリポリア・バザール *Tripolia Bazar*
ラームガンジ・バザール *Ramganj Bazar*
ムバラク・マハル *Mubarak Mahal*
ラグ・サムラート・ヤントラ *Lagh Samrat Yantra*
マハラニ・ガヤトリ・デヴィ・ゲート *Maharani Gayatri Devi Gate*
チャンドニー・チョウク *Chandni Chowk*

美しい姿を見せる風の宮殿

風の宮殿、ジャンタル・マンタル、シティ・パレスが1か所に集まる

風の宮殿内部、女性たちはほとんど外に出ることなくここで暮らした

呼び、石製のスクリーンを「ジャーリー」と呼んだ(王室女性は、このいたるところにある窓のどこからでも自由に外を見ることができた)。またクリシュナへの礼拝を行なったヴィチトラ・マンディル、カラフルなガラス細工があるラタン・マンディルなどを内部にそなえるが、内部の建築は外見にくらべてシンプルで女性が移動しやすいように階段を極力使わず、高低差を埋めるためにスロープがもちいられている。ハワ・マハル(風の宮殿)の建設にあたって、ジャンタル・マンタルのダクシノ・ヴリッティ・ヤントラは北側へ遷されたという。

神格としての太陽、月、水、風

　ジャイプルには風の宮殿、月の宮殿、水の宮殿、太陽の門というように自然や自然現象を名前に冠した建物が多く見られる。古くからインドでは、王族は太陽や月の末裔だと考えられ、ラージプート諸族はそれぞれ神話時代にさかのぼる系譜をもち、太陽や月、炎を先祖とするという。こうした王族の末裔としての系譜は、バラモンによってつくられたもので、古代インドの聖典『リグ・ヴェーダ』には神格としての太陽や月が登場する。ジャイプルのカッチワーハ王家は太陽神をその先祖にもつとされ、ピンク・シティ東の丘陵ガルタに位置するスーラジ寺院を守護者としてまつっている。

旧市街の住居ハヴェリ

　ジャイプル旧市街に軒を連ねる建物は多くがハヴェリと呼ばれる中庭をもつ住宅様式となっている。これらの建物は夏の暑い時期に涼をとれるように、通風と採光を考えて設計されているほか、ラジャスタン地方に伝統的に残る女性隔離(女性は外に出ず、家のなかで過ごす)などの慣習に根ざした生活ができるよう工夫されている。また街路に面した前面部の柱には彫刻がほどこされるなど、景観上の配慮もなされている。ハーヴェリーの多くは、有力商人によって建設された。

バリー・チョウパル ★★☆

Badi Chaupar／㋪बड़ी चौपड़　㋒بڑی چوپڑ

ちょうどシティ・パレスの南東隅、風の宮殿の目の前に位置することから、ジャイプルでももっともにぎわう広場のバリー・チョウパル(バリーとは「大きな」を意味し、シティ・パレスをはさんで反対側のチョティとは「小さな」を意味する)。ちょうどジョハリ・バザールとトリポリア・バザールが交わる地点にあり、バリー・チョウパルにはラジャスタンの衣服や靴、雑貨、宝石などを扱う店舗が集まる。東からラームガンジ・チョウパル、バリー・チョウパル、チョティ・チョウパルという3つのチョウパルが、ピンク・シティを代表する広場で、それらはジャイプル東西の目抜き通り(トリポリア・バザール)と南北の主要通りが交差する地点に設けられた。3つの広場を中心とする街区は、1734年までには完成したという。

シレー・デオリ・バザール ★☆☆

Sireh Deori Bazar／㋪सिरह देवरी बाज़ार　㋒سیرہ دیوری بازار

シティ・パレスの東門外(太陽のほう)を走るシレー・デオリ・バザール。ジャイプル建設当時から続く由緒正しいバザールで、かつてハワ・マハルの女性が格子窓から行き交う人やこのバザールのにぎわいを見て楽しんだという。現在はラジャスタンの手工芸品などがならび、ジャイプル王室との関係が深いカルキ寺院やラーマチャンドラ寺院も立つ。南側はジャイプル屈指のジョハリ・バザールに続いていく。

ジャイプル王族もこのような景色を見たのだろうか、シレー・デオリ・バザール

ラクダ革の靴はジャイプル名物、バリー・チョウパルにて

奥にカルキ寺院のシカラ屋根がそびえる

サワイ・マン・シン・タウン・ホール ★☆☆

Sawai Man Singh Town Hall　Ⓔसवाई मान सिंह टाउन हॉल ／
Ⓤسوائی مان سنگھ ٹاؤن ہال

シレー・デオリ・バザールに面して立つ旧市庁舎のサワイ・マン・シン・タウン・ホール。イギリス統治時代の1880～83年に建てられ、現在は博物館となっている。ピンクの砂岩によるもので、宮殿地区の一角に位置する。

ラーマチャンドラ寺院 ★☆☆

Ramchandra Mandir／Ⓔराम चंद्रा मंदिर　Ⓤرام چندر مندر

シレー・デオリ・バザールに立つ1854年創建のラーマチャンドラ寺院。サワイ・ラーム・シン2世の母によって建てられた宮殿様式の建築で、複数の中庭をもつ。都市ジャイプルが古代インドの宇宙観によって築かれたように、この建物も同様の理念をもって設計された。

カルキ寺院 ★☆☆

Kalki Mandir　Ⓔकल्कि मंदिर　Ⓤکلکی مندر

シティ・パレスのちょうど東門外に立ち、ジャイプル屈指の歴史を誇るカルキ寺院。街を造営したジャイ・シン2世（1686～1743年）によって、夭逝した孫のカルキ・シンのために1740年に築かれた。東側（太陽の方角）から宮殿を守るように、通りをはさんで宮殿の門のちょうど反対側に立つ。ヴィシュヌ神の10番目の化身であるカルキ（馬）の銅像が見られる。

ジャレブ・チャウク ★☆☆

Jalab Chowk／Ⓔजलेब चौक　Ⓤجلیب چوک

ジャイプル宮殿地区の東側に位置し、ちょうどシティ・パレスの前庭にあたったジャレブ・チャウク。王族の暮らすシティ・パレスへいたるには、南側と東側からの道があり、このジャレブ・チャウクのある東門は正門にあたった(ジャイプルのカッチワーハ王家は太陽神をその先祖にもつとされ、太陽の昇る東側が重要視された)。軍の閲兵ができる大きな中庭をもち、バザールに通じる東門(シレーデオリ・ゲート)、シティパレスに通じる西門(ガネーシャ・ポル・ゲート)、ジャンタル・マンタルに通じる南門(ナガル・カーネ・ゲート)、ゴーヴィンド・デーオ寺院に通じる北門(ゴーヴィンド・ジー・ゲート)が四方に配置されていた。そばには王族たちの乗る馬のための小屋もあった。

Pink City

ピンクシティ城市案内

街路に面した建物の高さがそろい
かつピンク色に統一されていることから
インドでも有数の美しさにあげられるジャイプル旧市街

ピンク・シティ（ジャイプル旧市街）★★★

Pink City　㋪गुलाबी शहर　㋒گلابی شہر

鮮やかなピンク色で塗られた建物が続くことから「ピンク・シティ」の名前で呼ばれるジャイプルの旧市街。1876年、宗主国イギリスのウェールズ皇太子（1853年のアルバート王子ともいう）の来訪にあわせて、ジャイプル藩王のラーム・シンが「歓迎」を意味するピンク色に街区を染めあげて以来、この形態となっている。このジャイプル旧市街の造営は、1727年、ジャイ・シン2世によるもので、インド天文学で9つに分割される宇宙に対応する9つの長方形街区が築かれ、宮殿、軍営、商業地区、職人地区などの区画があらかじめ決められた。ジャイプルは、マハラジャが熱心なクリシュナ信者であったことから、ヒンドゥー教ヴィシュヌ派の拠点でもあり、また西インドの他の街と同じようにジャイナ教徒の商人が力をもち、1750～1830年、ジャイナ教徒が市政にあたった。宮殿の前面を東西に走る大通りが、東のスーラジ・ポル（太陽門）から西のチャンド・ポル（月光門）へと直線に伸び、旧市街の軸線となっている。それと直角に南北の通りが走り、それらが直交するところにはチョウパルと呼ばれる広場（公共空間）がおかれている。碁盤の目状の街区のなかでも、キシャンポル・バザール、ガンガウリ・バザール、ジョハリ・バザール、シ

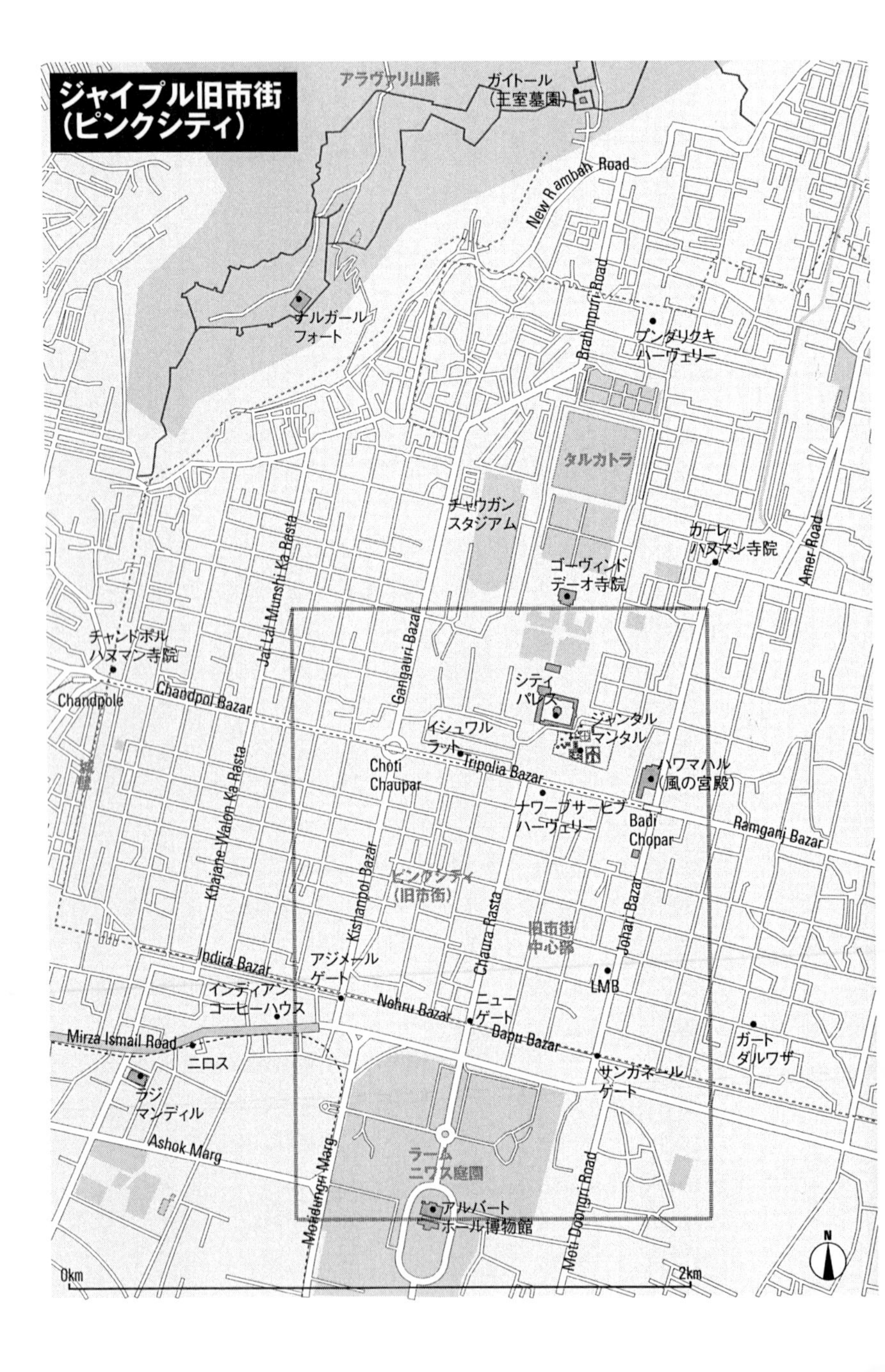

ジャイプル旧市街
(ピンクシティ)
アラヴァリ山脈
ガイトール
(王室墓園)
New Rambah Road
ナルガール
フォート
Brahmpuri Road
プンダリクキ
ハーヴェリー
タルカトラ
チャウガン
スタジアム
カーレ
ハヌマン寺院
Amer Road
ゴーヴィンド
デーオ寺院
Jai Lal Munshi Ka Rasta
チャンドポル
ハヌマン寺院
Chandpole
Chandpol Bazar
Gangauri Bazar
シティ
パレス
ジャンタル
マンタル
イシュワル
ラット
Choti
Chaupar
Tripolia Bazar
ハワマハル
(風の宮殿)
Khajane Walon Ka Rasta
城壁
ナワーブサーヒブ
ハーヴェリー
Badi
Chopar
Ramganj Bazar
Kishanpol Bazar
ピンクシティ
(旧市街)
Chaura Rasta
Johari Bazar
旧市街
中心部
Indira Bazar
アジメール
ゲート
LMB
インディアン
コーヒーハウス
Nehru Bazar
ニュー
ゲート
Mirza Ismail Road
Bapu Bazar
ガート
ダルワザ
ニロス
サンガネール
ゲート
ラジ
マンディル
Ashok Marg
ラーム
ニワス庭園
Motidungri Marg
Moti Doongri Road
アルバート
ホール博物館
N
0km
2km

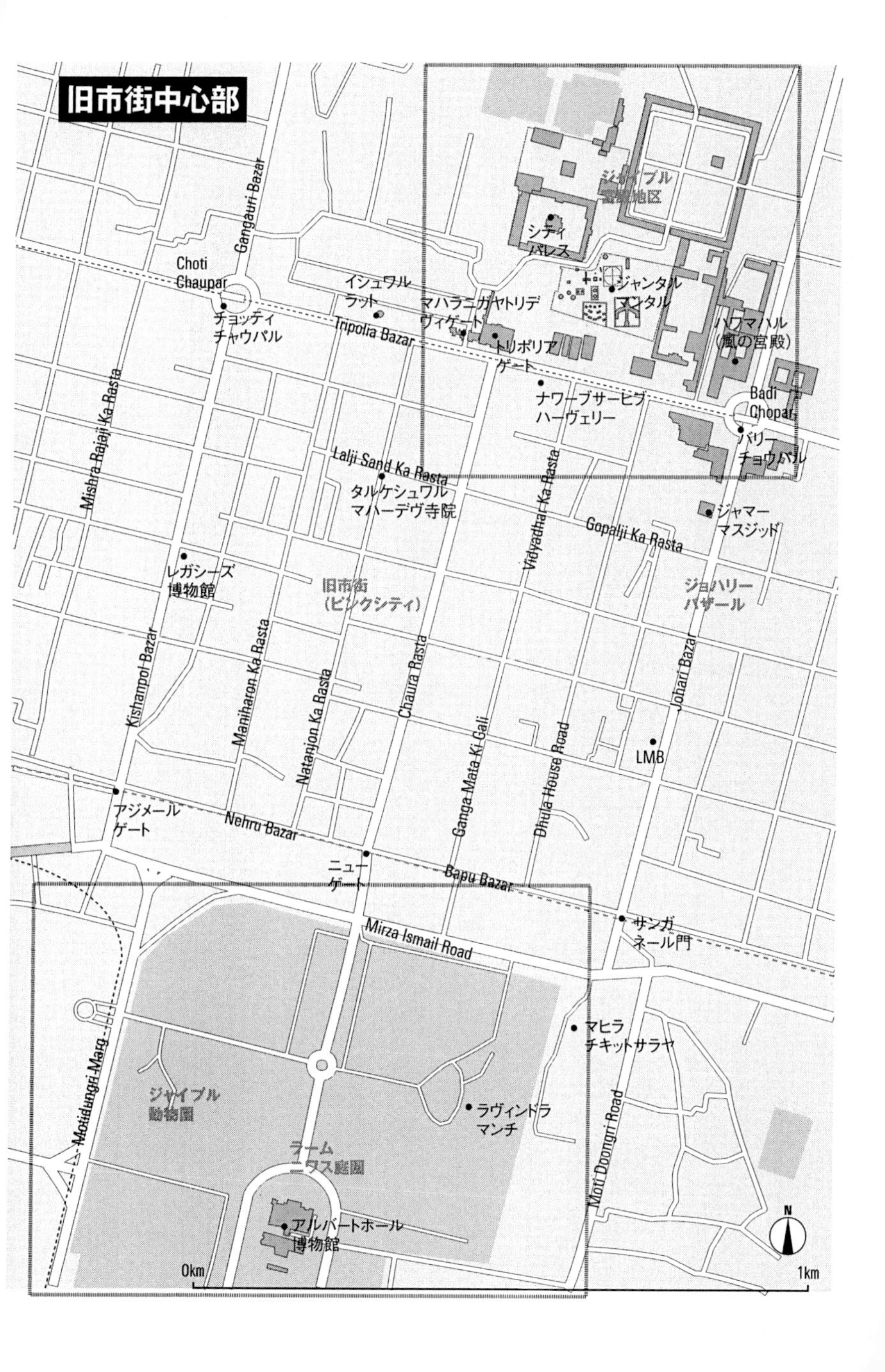

旧市街中心部
Gangauri Bazar
Choti Chaupar
チョッティ
チャウパル
イシュワル
ラット
マハラニガヤトリデ
ヴィゲート
Tripolia Bazar
トリポリア
ゲート
シティ
パレス
ジャンタル
マンタル
ハワマハル
（風の宮殿）
Badi
Chopar
バリー
チョウパル
ナワーブサーヒブ
ハーヴェリー
Mishra Rajaji Ka Rasta
Lalji Sand Ka Rasta
タルケシュワル
マハーデヴ寺院
ジャマー
マスジッド
Gopalji Ka Rasta
Vidyadhar Ka Rasta
レガシーズ
博物館
旧市街
（ピンクシティ）
ジョハリー
バザール
Johari Bazar
Kishanpol Bazar
Maniharon Ka Rasta
Natanjon Ka Rasta
Chaura Rasta
Ganga Mata Ki Gali
Dhula House Road
LMB
アジメール
ゲート
Nehru Bazar
ニュー
ゲート
Bapu Bazar
サンガ
ネール門
Mirza Ismail Road
マヒラ
チキットサラヤ
Motidungri Marg
ジャイプル
ラヴィンドラ
マンチ
ラーム
Moti Doongri Road
アルバートホール
博物館
N
0km
1km

レー・デオリ・バザールなどがこの街でもっとも古いバザールとなっている(街の造営以前、この地にはナルガール、タルカトラ、キシャンポルなど、現在も地名が残る6つの村があった。王宮に近いバザールが古く、南の門に近いバザールが比較的新しい)。

★★★

シティ・パレス *City Palace*
ジャンタル・マンタル *Jantar Mantar*
ハワ・マハル(風の宮殿) *Hawa Mahal*
ピンク・シティ(ジャイプル旧市街) *Pink City*

★★☆

バリー・チョウパル *Badi Chaupar*
ジョハリ・バザール *Johari Bazar*
バープー・バザール *Bapu Bazar*
M・I・ロード *Mirza Ismail Road*
アルバート・ホール博物館(中央博物館) *Albert Hall Museum (Central Museum)*
ナルガール・フォート *Nahargarh Fort*
ガイトール(王室墓園) *Royal Chatris (Gaitor)*
ゴーヴィンド・デーオ寺院 *Govindji Mandir*

★☆☆

城壁と門 *Gates*
ジャマー・マスジッド *Jama Masjid*
ラクシュミー・ミサン・バンダル *Laxmi Misthan Bhandar*
トリポリア・バザール *Tripolia Bazar*
トリポリア・ゲート *Tripolia Gate*
イシュワル・ラット *Ishwar Lat (Sargasuli)*
ナワーブ・サーヒブ・ハーヴェリー *Nawab Sahib Ki Haveli*
チョウラ・ラスタ *Chaura Rasta*
タルケシュワル・マハーデヴ寺院 *Tarkeshwar Mahadev Mandir*
レガシーズ博物館 *Museum of Legacies*
キシャン・ポル・バザール *Kishanpol Bazar*
チャンド・ポル・バザール *Chandpole Bazar*
チャンド・ポル・ハヌマン寺院 *Shri Chandpole Hanuman Ji Mandir*
ラームガンジ・バザール *Ramganj Bazar*
ガート・ダルワザ *Ghat Darwaza*
カーレ・ハヌマン寺院 *Kale Hanuman Ji Mandir*
アジメール・ゲート *Ajmeri Gate*
ネルー・バザール *Nehru Bazar*
インディラ・バザール *Indira Bazar*
ニュー・ゲート *New Gate (Naya Pol)*
ラジ・マンディル *Raj Mandir*
ニロス *Niros*
ラーム・ニワス庭園 *Ram Niwas Garden*
ジャイプル動物園 *Zoological Garden*
マヒラ・チキットサラヤ *Mahila Chikitsalaya*
ラヴィンドラ・マンチ *Ravindra Manch*
プンダリク・キ・ハーヴェリー *Pundarik Ki Haveli*
タル・カトラ *Tal Katora*
チャウガン・スタジアム *Chaugan Stadium*

城壁と門 ★☆☆

Gates／Ⓗदरवाज़ा／Ⓤدروازہ

ジャイプル旧市街は、周囲10kmにわたって高さ6mの城壁ではりめぐらされている（プルは城壁に囲まれた都市を意味する）。8か所にある城門には、ムガル王家とアンベール王家の婚姻関係を示すように、イスラム様式のイワン（門）の上部にヒンドゥー様式のチャトリが載るというムガル建築と融合したラージプート建築が見られる。また宮殿の前面を東西に走る大通りが、東のスーラジ・ポル（太陽門）から西のチャンド・ポル（月光門）へと直線に伸び、旧市街の軸線となっている。

ジョハリ・バザール ★★☆

Johari Bazar／Ⓗजौहरी बाज़ार／Ⓤجوہری بازار

ジャイプル宮殿地区から旧市街（ピンク・シティ）の中心部を南北に走るジョハリ・バザール。旧市街でもっともにぎわうジャイプルの目抜き通りで、ジョハリとはヒンディー語で「宝石」を意味する。金、銀、エメラルドなどの宝石や装飾品をあつかう店を中心に、刺繍がほどこされたサリー・ランガというスカート、ジャイプリ・ラジャイ（柔らかい綿のかけ布団）、シルクなどの衣料店、老舗レストラン、露店がならぶ。ジョハリ・バザールはジャイプルがつくられて以来のバザールで、女性の好む装飾品や結婚式に使う工芸品の店が集まり、ハワ・マハル（風の宮殿）から王族女性がその様子を眺めたという（計画都市ジャイプルでは、おもな市場やバザールは国の費用で建設された）。バリー・チョウパルからサンガネール門まで、ピンク色に彩られた美しい街並みが続く。

ジャマー・マスジッド ★☆☆

Jama Masjid／Ⓗजामा मस्जिद／Ⓤجامع مسجد

バリー・チョウパルの南側に立つイスラム教徒の礼拝

堂ジャマー・マスジッド(モスク)。ここは金曜日の集団礼拝が行なわれるモスクで、他の旧市街同様、1階は店舗、上部にアーチ型の5間の外観が3層重なる様式をもつ。両端に高いミナレットを抱え、ウルドゥー文字が見える。ジャイプル旧市街は9つの街区のうち、北西のものをとって南東に遷した変形となっていて、このグリッドパターンの崩れたところにイスラム教のモスクが集中する。

ラクシュミー・ミサン・バンダル ★☆☆

Laxmi Misthan Bhandar ㋪लक्ष्मी मिष्ठान भंडार ㋒لکشمی مشٹن بھنڈار

ジャイプルが建設された1727年よりこの街に店を構えるラクシュミー・ミサン・バンダル(LMB)。老舗のスイーツ・ショップ、ベジタリアン・レストラン、ホテルで、古文書に記されたインド最高の食の伝統をもとにつくられたというメニューを提供する。アンベールからの遷都とともに移住して開店し、当初はジョハリ・バザールからなかに入ったパルタニヨ・カ・ラースタに店を構え、スイーツと軽食を提供していた。1940年代に大通りのジョハリ・バザールに店を遷し、やがてホテルも開業した。ロイヤル・ラジャスターニー・タール(Royal Rajasthani Thal)はじめ、パニール・ゲワール(paneer ghewar)、マワ・カチョリ(mawa kachori)、ダヒ・バダ(dahi vada)などが知られる。

トリポリア・バザール ★☆☆

Tripolia Bazar／㋪लिपोलिया बाज़ार／㋒ترپولیا بازار

1727年にジャイプルが建設されたとき、まず街の中心に宮殿(シティ・パレス)がつくられ、その前面を東西に走る大動脈トリポリア・バザールが整備された。それは東のスーラジ・ポル(太陽門)と西のチャンド・ポル(月の門)を結ぶもので、この東西のトリポリア・バザールと南北の大通りの交差点に3つの広場(チョウパル)がもうけられた。宮殿地区に沿うように走るこのバザールはもっとも由緒正しい

旧市街の移動ではリキシャが活躍する

ピンク色の街並みが続くジョハリ・バザール

LMBことラクシュミー・ミサン・バンダルの門番

神話の描かれた絵が飾られていた

バザールで、トリポリア・バザールという名前は王宮へ通じる門のトリポリア・ゲートからとられている。1階が店舗で、2、3階が住居となっていて、ピンク色に塗りあげられた建物が続く。

トリポリア・ゲート ★☆☆

Tripolia Gate ㊉त्रिपोलिया गेट ㊌ تریپولیا گیٹ

ジャイプルの中心部を東西に走るトリポリア・バザールに立つトリポリア・ゲート。トリポリアとは「3つの門(ポル)」を意味し、バザールの名前もこの門からとられた。中央に円形屋根を載せ、中央のイワンの横にふたつの補助門(イワン)がそなえられている。王族専用の門で、ここから先がジャイプルの奥の院(宮殿地区)を意味した。一般来訪者は、西側にあるマハラニ・ガヤトリ・デーヴィー・ゲートを使う。

イシュワル・ラット ★☆☆

Ishwar Lat (Sargasuli) ㊉ईसरलाट(सरगासूली)/㊌ ایشور لاٹ

トリポリア・バザールで一際高くそびえる戦勝記念塔のイシュワル・ラット(サルガスリ)。ジャイ・シン2世がなくなると、周囲のラージプートなどがジャイプルを攻め、続く王ラジャ・イシュワリ・シン(1743〜50年)は抗争に明け暮れることになった。その戦いに勝利した1749年、戦勝記念塔として宮殿前方のトリポリア・バザールにこの高さ18.3m、7層の塔が建てられた。上部からジャイプル旧市街の様子を眺めることができる。

ナワーブ・サーヒブ・ハーヴェリー ★☆☆

Nawab Sahib Ki Haveli/㊉नवाब साहब की हवेली ㊌ نواب صاحب کی حویلی

トリポリア・バザールに残る豪勢な邸宅のナワーブ・サーヒブ・ハーヴェリー。ジャイプルでもっとも由緒正しいハーヴェリーだとされ、1727年にピンク・シティを設計したヴィディヤダール・バッタチャリアが暮らしていたという（ここから街全体を監督できるようにしたという）。3階建ての建物で、他の建物同様、壁面はピンク色に塗りあげられている。ハーヴェリー名は、ラーム・シン2世に仕えた大臣ナワーブ・ファイズ・アリー・ハンの名前がつけられている。

チョウラ・ラスタ ★☆☆

Chaura Rasta ／ Ⓗ चौरा रस्ता ／ Ⓤ چارا راستہ

ジャイプル宮殿のシティ・パレスからニューゲートに向かって走る中央通りのチョウラ・ラスタ。マルグ同様、ラスタとは「通り」を意味する。ジャイプル建設時は、東西のトリポリア・バザールと南北のジョハリ・バザールが街の中心部であったが、古くからの市場が飽和状態になると、主要な市場と直角に交わる南北の通りが新たな市場（ラスタと呼ばれる住宅地）として成長していった。マラータの侵入でジャイプルは衰退したのち、ラーム・シン（1835～80年）時代に再びジャイプルは活況となり、トリポリア・ゲートから南へ向かうチョウラ・ラスタが主要道路とされた（ニュー・ゲート、ラム・ニワス庭園へ伸びるジャイプルの軸線となっている）。近代、チョウラ・ラスタでは、いち早く舗装路、水道、ガス燈などが整備された。

タルケシュワル・マハーデヴ寺院 ★☆☆

Tarkeshwar Mahadev Mandir Ⓗ ताड़केश्वर महादेव मंदिर ／
Ⓤ تاڑکیشور مہادیو مندر

1727年のジャイプル造営以前からあるヒンドゥー寺院のタルケシュワル・マハーデヴ寺院。街ができる前からこの地にシヴァ・リンガが立っていたと言われ、またここは火葬場でもあった。このタルケシュワル・マハーデヴ寺院にあわせて道路が整備され、建築家ヴィディヤダールの娘がその後、寺院（シヴァ派の寺院）を再建した。

ラジャスタン料理のターリー

異国情緒漂うジャイプルのファッション

高くそびえるイシュワル・ラット

旧市街では目まぐるしく人が往来する

レガシーズ博物館 ★☆☆

Museum of Legacies ㋪ म्यूज़ियम ऑफ लिगेसी ／㋒ میراث کا میوزیم

ピンク・シティに残る古い邸宅を利用して開館したレガシーズ博物館。この邸宅はラーム・シン2世の大臣の邸宅だったところで、1823年に建てられた。ジャイプルでつくられたテキスタイル、宝石、象嵌細工、絵画、陶器などを展示する。

キシャン・ポル・バザール ★☆☆

Kishanpol Bazar／㋪ किशनपोल बाज़ार ／㋒ کشنپول بازار

キシャン・ポル・バザールはジャイプルでもっとも古いバザールのひとつ。1727年にジャイプルが建設される以前から、ナルガールやタルカトラとともにこの地に村があった。その後、ジャイプルの建設にあわせてバザールが整備され、宝石、手工芸品、家具、スイーツや軽食などをあつかう店がならんでいる。アジメール・ゲートからチョティ・チョウパルまで、ちょうどジョハリ・バザールと対称を描くように走っている（アジメール・ゲートはキシャン・ポル・ゲートともいう）。

チャンド・ポル・バザール ★☆☆

Chandpole Bazar／㋪ चांदपोल बाज़ार ㋒ چاندپول بازار

ジャイプル旧市街（ピンク・シティ）の西門にあたるチャンド・ポルから宮殿に向かって東西に伸びるチャンド・ポル・バザール。チャンドとは「月」を意味し、東のスーラジ（太陽）・ポルと対応する。穀物や食料品、サリーや生地、衣料品、工芸品をあつかう店がならぶ。19世紀、イギリスの保護国となり、ジャイプル旧市街の西外側に鉄道ができると、チャンド・ポルの地位が相対的にあがり、すべての門は夜11時に閉められていたが、マン・シン2世の1923年からチャンド・ポルは24時間開放された。

チャンド・ポル・ハヌマン寺院 ★☆☆

Shri Chandpole Hanuman Ji Mandir ／ Ⓗ श्री चांदपोल हनुमान जी मंदिर ／ Ⓤ چاندپول ہنومان مندر

チャンド・ポルそばに立つ猿神をまつったハヌマン寺院。ハヌマンは『ラーマヤナ』のなかで英雄ラーマを助けて、シーター姫奪還に貢献する。こうしたところから、人びとの願いをかなえる神さまとして信仰される。

ラームガンジ・バザール ★☆☆

Ramganj Bazar ／ Ⓗ रामगंज बाज़ार ／ Ⓤ رام گنج بازار

1727年のジャイプル建設とともに、宮殿に隣接する3つの広場がつくられた。それらは東からラームガンジ・チョウパル、バリー・チョウパル、チョティ・チョウパルで、ラームガンジ・チョウパルとバリー・チョウパルのあいだを走るこのラームガンジ・バザールは18世紀からの伝統がある。夜にはビリヤニ、ケバブ、チキン・ティッカ、スイーツなどを出す店がならぶ。

ガート・ダルワザ ★☆☆

Ghat Darwaza ／ Ⓗ घाट दरवाजा ／ Ⓤ گھاٹ دروازہ

ピンク・シティ南東門にあたるガート門内に位置するガート・ダルワザ（ダルワザとは門のこと）。あたりは旧市街のなかでも路地が迷路のように走るところで、ジャイナ教寺院も多い。

カーレ・ハヌマン寺院 ★☆☆

Kale Hanuman Ji Mandir ／ Ⓗ काले हनुमान जी मंदिर ／ Ⓤ کالے ہنومان جی مندر

シレー・デオリ・バザールの北の突きあたりに立つカーレ・ハヌマン寺院。『ラーマヤナ』に登場する猿神ハヌマンは人びとを助け、願いをかなえる。ジャイプル設立以前からの歴史をもつといい、黒大理石によるハヌマン像が安

デーヴァナーガリー文字の看板が見える店舗

ジャイプルは整然とした美しい計画都市

アンベールへはリキシャが便利

このピンク色の城門と城壁で街は防御されていた

置されている。チャンド・ポルのハヌマン寺院と区別して「黒いハヌマン寺院」の名前で呼ばれている（カーラとは「黒い」を意味する）。

アジメール・ゲート ★☆☆

Ajmeri Gate　Ⓗअजमेरी गेट　Ⓤاجمیری گیٹ

ジャイプル旧市街は、周囲10kmにわたって続く高さ6mの城壁ではりめぐらされている（プルは、城壁に囲まれた都市を意味する）。これらの城壁の要所8か所に城門がおかれ、アジメール・ゲートからはジャイプル南西のアジメール方面への道が伸びている。旧市街の城門のなかでももっともにぎわいを見せる門のひとつで、あたりにはリキシャが待機している。また城門は、ムガル王家とアンベール王家の婚姻関係を示すように、イスラム様式のイワン（門）の上部にヒンドゥー様式のチャトリが載るというラージプート建築が見られる。

バープー・バザール ★★☆

Bapu Bazar／Ⓗबापू बाज़ार　Ⓤباپو بازار

刺繍のほどこされた布地（サンガネールのブロック・プリント）、ラクダ革のサンダル、バッグ、クッション、サリーなど、女性向けの衣料、宝石、雑貨店が軒を連ねるバープー・バザール。鮮やかな色、手のこんだラジャスタンの手工芸がほどこされた品々がならぶ。サンガネール・ゲートからニュー・ゲートの旧市街南側の城壁の北側を城壁に沿うように走り、ピンク色に塗りあげられた1階部分が店舗になっていて、上部にはデーヴァナーガリー文字で店舗名が記されている。東からバープー・バザール、ネルー・バザール、インディラ・バザールと続き、ジョハリ・バザールやキシャンポル・バザールなどのジャイプルの伝統的なバザールにくらべて、旧市街南部のこれらの市場は比較的新しく形成された。バープーとは「ガンジー（父親）」を意味する。

ネルー・バザール ★☆☆

Nehru Bazar ㋪नेहरु बाज़ार ㋒نہرو بازار

バープー・バザールの西、ニュー・ゲートからアジメール・ゲートまで続くネルー・バザール。バープー・バザール同様、ジャイプルの衣料品、装飾品、手芸品などをあつかう店がならぶ。

インディラ・バザール ★☆☆

Indira Bazar ㋪इंदिरा बाज़ार ㋒اندرا بازار

アジメール・ゲートから西に伸びるインディラ・バザール。M・I・ロードに並行して走り、バープー・バザール、ネルー・バザールとともに比較的新しいバザールで、インディラ・バザールは、1971年の印パ戦後のジャイプルへの難民流入がきっかけで立ちあがった。

ニュー・ゲート ★☆☆

New Gate（Naya Pol）／㋪न्यू गेट ㋒نیا گیٹ

チョウラ・ラスタの建設にともなって新たに造営されたピンク・シティの南門ニュー・ゲート。18世紀にジャイプルがつくられたとき、東のサンガネール門と西のアジメール門が南門にあたり、ここには門がなかった。その後、ラム・ニワス庭園が整備され、20世紀に入ってM・I・ロードがつくられるなど、宮殿のトリポリア・ゲートからチョウラ・ラスタ、ニュー・ゲートへと続く中央軸線が重要性をもつようになった。

मो. 98290 11488
रूपल्स
ज्वैलर्स
किरन ज्वैलरी
महावीर ज्वैलरी
चांदी के फैन्सी बर्तन-आभूषण
सोने जैसी कुन्दन डायमण्ड ज्वैलरी
रूपल्स
कुन्दन
पोलकी
डायमण्ड
रूपल्स
कुन्दन
पोलकी
डायमण्ड
सोने जैसी

Mirza Ismail Road

MIロード城市案内

M・I・ロードとはミルザ・イスマイル・ロードのこと
新市街の造営を進めた政治家の名前がつけられ
鉄道駅と旧市街を結ぶジャイプル随一の通り

M・I・ロード ★★☆

Mirza Ismail Road／㋪ मिर्ज़ा इस्माइल सड़क　㋒ مرزا اسماعیل روڈ

旧市街南城壁の外を東西に走り、ジャイプル屈指の大通りとなっているM・I・ロード（ミルザ・イスマイル・ロード）。カフェ・ニロスやインディアン・コーヒー・ハウスといったジャイプルでも人気の店舗が軒を連ね、また近くには館内の豪華な装飾で知られる映画館ラジ・マンディル・シネマも位置する。城壁都市ジャイプルが飽和状態になったことから、19世紀以降、ジャイプル・ジャンクション駅の造営、ラーム・ニワス庭園の整備などで、城壁外部の開発がはじまっていた。このM・I・ロードは当初、ハワ・サラク（風の通り）と呼ばれていたが、のちに1942～44年までジャイプル州の首相であったサー・ミルザ・イスマイルの名前がつけられた。ミルザ・イスマイルは、マイソール、ハイデラバードなどでも活躍した近代インドの政治家で、ジャイプルの都市開発を進めた。銀行を設立し、民間企業の資本を流入させるなどジャイプルの近代化に尽力し、ジャイプル市街南部（Cスキーム）の整備もこの時代に行なわれた。ミルザ・イスマイル・ロードは、サンガネール・ゲートからガバメント・ホスピタルのあいだを走り、東はアーグラ・ロードとなる。1727年、アーグラとアジメールを結ぶ東西の街道が走る商業上の利点が注目されて、ジャイプ

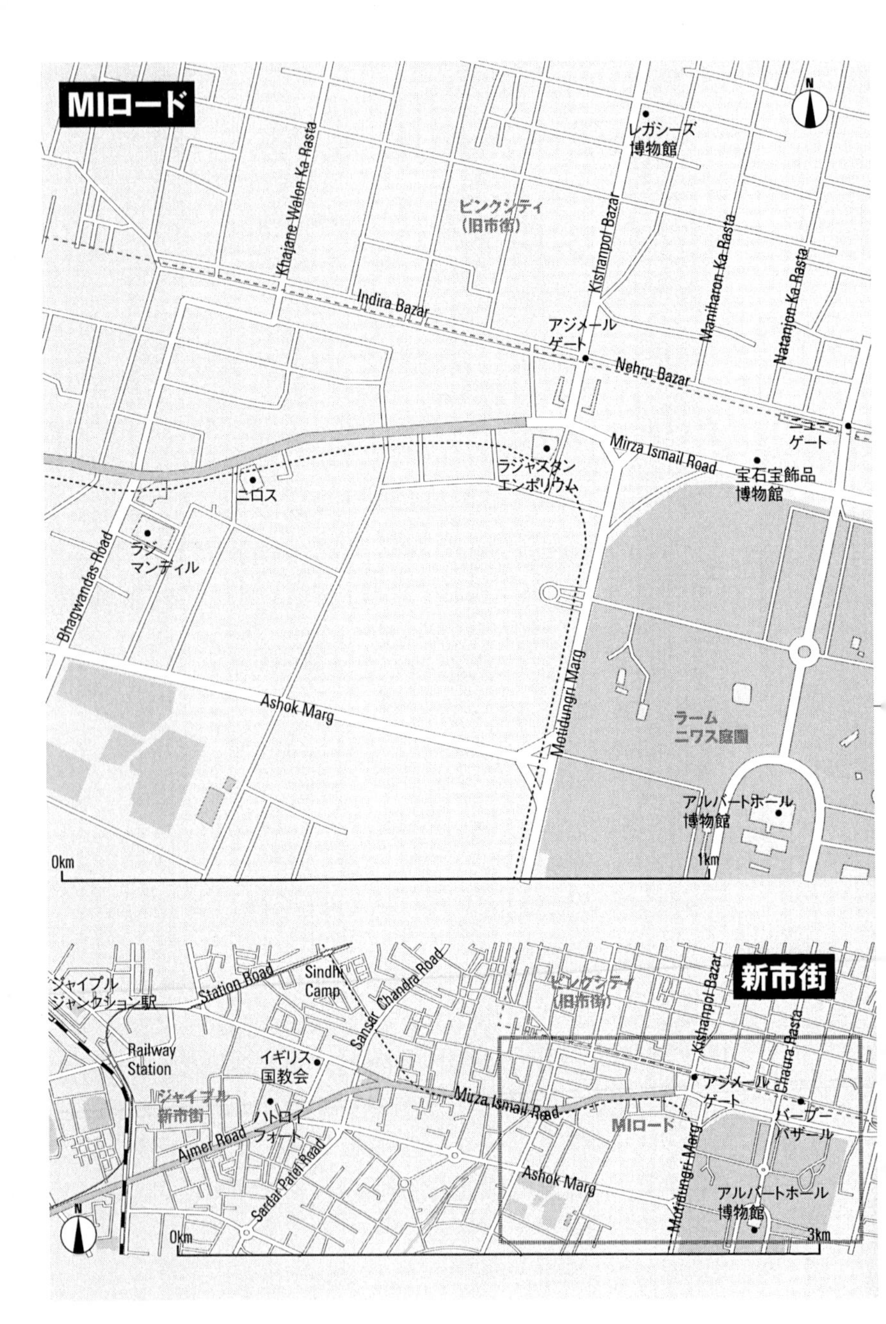
MIロード
N
レガシーズ
博物館
ピンクシティ
(旧市街)
Khajane Walon Ka Rasta
Kishanpol Bazar
Maniharon Ka Rasta
Natanjon Ka Rasta
Indira Bazar
アジメール
ゲート
Nehru Bazar
ニュー
ゲート
Mirza Ismail Road
ラジャスタン
エンポリウム
宝石宝飾品
博物館
ニロス
ラジ
マンディル
Bhagwandas Road
Ashok Marg
Motidungri Marg
ラーム
ニワス庭園
アルバートホール
博物館
0km
1km
新市街
Sindhi
Camp
Station Road
Sansar Chandra Road
ジャイプル
ジャンクション駅
Railway
Station
ピンクシティ
(旧市街)
Kishanpol Bazar
Chaura Rasta
イギリス
国教会
ジャイプル
新市街
ハトロイ
フォート
Mirza Ismail Road
アジメール
ゲート
バープー
バザール
MIロード
Ajmer Road
Sardar Patel Road
Ashok Marg
Motidungri Marg
アルバートホール
博物館
0km
3km

ルは造営されたが、その性格を受け継ぐのがM・I・ロードだと言える。

ラジ・マンディル ★☆☆

Raj Mandir／Ⓗराजमंदिर／Ⓤراج مندر

　インド屈指の娯楽である映画を上映し、王室も利用するジャイプルの象徴的建築のひとつラジ・マンディル。1966年に豪華な映画館創設の気運が高まり、ラジ・マンディルは10年のときをへて1976年にシュリー・メフターブ・チャンドラ・ゴルチャによって設立された。この映画館は建築家ナームジョシによる設計で、流線型の屋根をもち、前面に配置された9つの星は、インド天文学の九曜、また9つの宝石を意味する（ラジ・マンディルはジャイプルの宝石商が所有する）。内部にはパール、ルビー、エメラルド、ダイヤモンドと名づけられた観客席があり、豪華なシャンデリ

★★★

ピンク・シティ（ジャイプル旧市街） *Pink City*

★★☆

M・I・ロード *Mirza Ismail Road*
バープー・バザール *Bapu Bazar*
アルバート・ホール博物館（中央博物館） *Albert Hall Museum (Central Museum)*

★☆☆

アジメール・ゲート *Ajmeri Gate*
ネルー・バザール *Nehru Bazar*
インディラ・バザール *Indira Bazar*
ニュー・ゲート *New Gate (Naya Pol)*
ラジ・マンディル *Raj Mandir*
ニロス *Niros*
ラジャスタン・エンポリウム *Rajasthan Emporium*
宝石・宝飾品博物館 *Museum of Gem and Jewellery*
ラーム・ニワス庭園 *Ram Niwas Garden*
ジャイプル新市街 *New Jaipur*
ジャイプル・ジャンクション駅 *Jaipur Junction Railway Station*
シンディー・キャンプ *Sindhi Camp*
イギリス国教会 *All Saints' Church*
チョウラ・ラスタ *Chaura Rasta*
キシャン・ポル・バザール *Kishanpol Bazar*
レガシーズ博物館 *Museum of Legacies*
ハトロイ・フォート *Hathroi Fort*

ア、ライティング、ロビーの階段をそなえる。

ジャイナ教徒とジャイプル

ジャイナ教は、仏教と同じ紀元前6世紀ごろに起こった宗教で、不殺生(アヒンサー)、真実語、不盗、不淫、無所有の戒律をもつ。とくに不殺生(アヒンサー)の考えから、バラモンの犠牲祭を批判し、小さな虫を踏まないようにほうきで掃きながら歩いたり、口に虫が入らないようにマスクをするなどの特徴がある。そしてくわや武器で、虫や動物を殺さないために、農業、漁業などの職業にはつかず、商業や金融業に従事してきた。このジャイナ教は紀元前後には北インドから、南インド、東インドなどインド全域に広がっていたが、とくに西インドで大学者ヘーマチャンドラ(1088～1172年)が出て、王朝に保護されたことから、グジャラートやラジャスタンなどで影響力が強い。グジャラート出身のガンジーはジャイナ教の影響を強く受けたと言われ、ジャイプルでも金融業、宝石業、商業、大理石業に従事するジャイナ教徒が強い力をもってきた。ジャイプル南郊外のサンガネールには、ディガンベル・ジャイナ寺院が残るほか、ジャイナ教開祖の名前のついたマハーヴィラ公園も見られる。仏教が13世紀にインドでついえたのに対して、信者の強い結束力で、ジャイナ教は現在まで連綿と続き、インドの人口比0.5％ほどだが、社会的地位、教育水準の高さや経済力で、存在感を見せる。

ニロス ★☆☆

Niros／Ⓗ निरोस　Ⓤ نیروس

M·I·ロードにあるジャイプル屈指の人気レストランのニロス。1949年の開店以来、ラジャスタン料理はじめ、タンドリーなどのムガル料理、中華料理、デザート、スナックを提供してきた(ニロスは1960年代以来、中華料理を提供し

インド人に人気の映画館ラジ・マンディル・シネマ

手工芸品をあつかうラジャスタン・エンポリウム

ラッシーを入れるためのコップが積みあげられていた

ジャイプルの名店ニロス

てきた料理店でもある)。レストラン内部は、スタティシュ・グジャラル氏の壁画で彩られている。

キング・エドワード・メモリアル ★☆☆

King Edward Memorial Sarai　Ⓗ किंग एडवर्ड मेमोरियल
／Ⓤ کنگ ایڈورڈ میموریل

M・I・ロードに立つ植民地建築のキング・エドワード・メモリアル(キング・エドワード・メモリアル・サライ)。イギリス統治時代の1911〜15年のあいだに建てられ、時計塔が立つ。石の彫刻で彩られた低層建築となっている。

ラジャスタン・エンポリウム ★☆☆

Rajasthan Emporium／Ⓗ राजस्थली एम्पोरियम　Ⓤ راجستھانی امپوریم

ジャイプルのみならずラジャスタン各地の手工芸品や商品の展示、販売を行なうラジャスタン・エンポリウム。ラジャスタン州は1961年から自州の製品の販売促進のための事業を行なってきた。ここラジャスタン・エンポリウムはショールームの役割を果たしていて、男性向け衣料、女性向け衣料のほか、食料品、文具や雑貨まで、幅広い商品をあつかう。アジメール・ゲートの向かいに位置する。

宝石・宝飾品博物館 ★☆☆

Museum of Gem and Jewellery／Ⓗ रत्न और आभूषण संग्रहालय
Ⓤ جیولری میوزیم

ラジャスタン商工会議所の一角にある宝石・宝飾品博物館。ジャイプルの宝石や、宝石のカッティング、研磨、デザイン、宝石の歴史、鉱業、宝石産業についての展示が見られる。

THOLIA HOUSE
Amrapali

Ram Niwas

ラームニワス城市案内

ジャイプル旧城南門外に広がるラーム・ニワス庭園
この広大な庭園を整備した王の名前がつけられ
それはジャイプル市街が拡大する契機にもなった

ラーム・ニワス庭園 ★☆☆

Ram Niwas Garden Ⓗराम निवास बाग Ⓤرام نواس باغ

ジャイプル旧市街の南に広がるラーム・ニワス庭園。1868年、サワイ・ラーム・シン2世(1835～80年)によってそれまでの城郭都市の外側のこの地が開発された(ちょうどサンガネール・ゲートとアジメール・ゲートを結ぶ城壁を軸に旧市街と対称を描く)。ラーム・シン2世はこのラーム・ニワス庭園とともに1887年創建のアルバート・ホール博物館、1881年創建の公共図書館、1875年創建のマヨ・ホスピタル(病院)などを整備し、ジャイプルを豊かにするための公共事業を行なった。現在は、バードパーク、動物園、ラヴィンドラ・マンチ劇場、アートギャラリー、展示場などが位置する。

アルバート・ホール博物館(中央博物館) ★★☆

Albert Hall Museum（Central Museum）
Ⓗअल्बर्ट हॉल संग्रहालय(सेंट्रल म्यूजियम) ／Ⓤالبرٹ ہال میوزیم

ピンク・シティの南側、シティ・パレスと向かいあうようにラーム・ニワス庭園に立つアルバート・ホール博物館。サワイ・ラーム・シン2世(1835～80年)時代の1876年、イギリスのアルバート王子の来訪を迎えるにあたって、建てられたことからアルバート・ホールとも呼ばれる(1887年に公開された)。マハラジャの衣類、宝石や彫刻、織物、カー

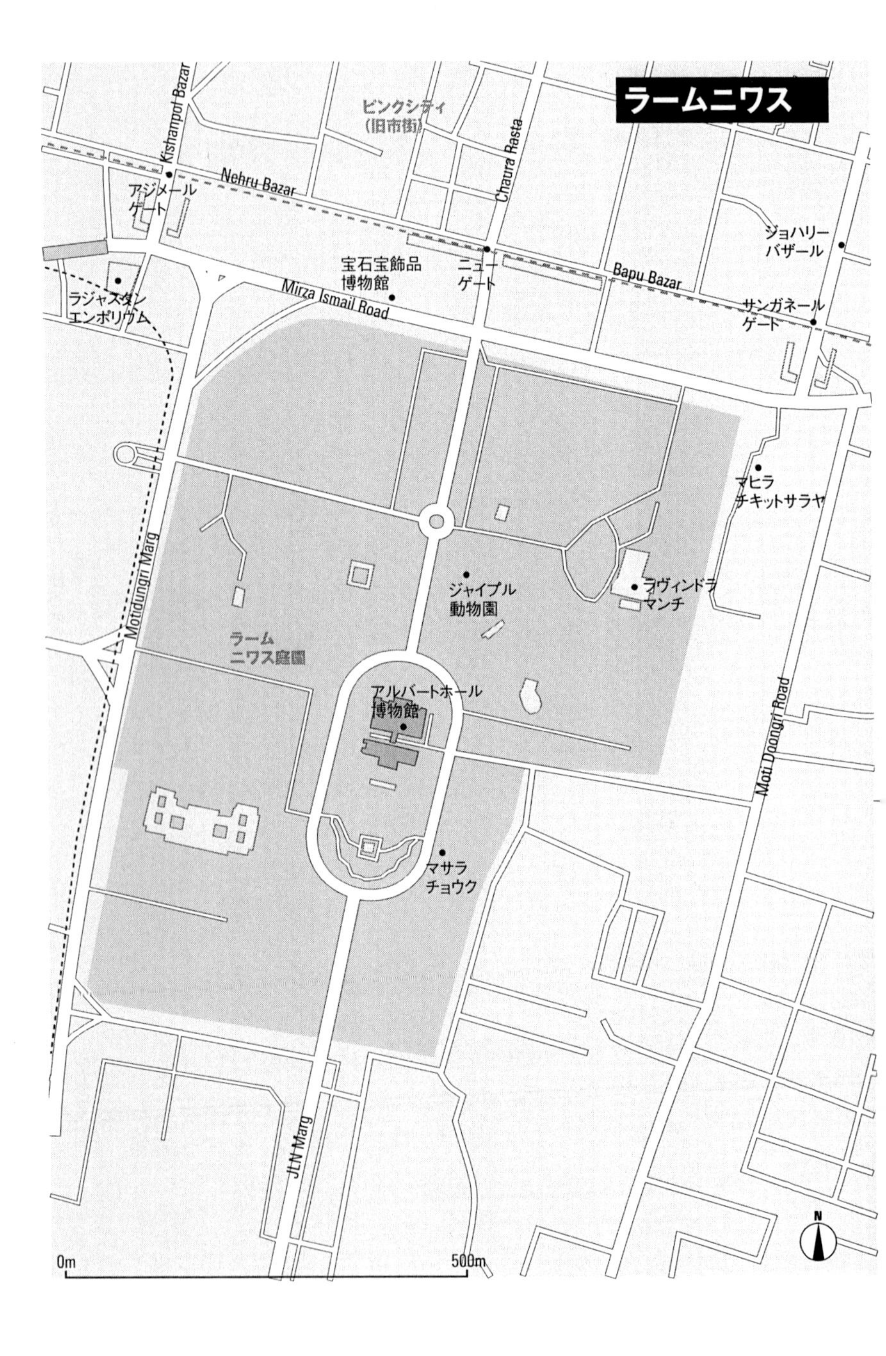
ラームニワス
ピンクシティ
(旧市街)
Kishanpol Bazar
Nehru Bazar
Chaura Rasta
アジメール
ゲート
ジョハリー
バザール
宝石宝飾品
博物館
ニュー
ゲート
Bapu Bazar
Mirza Ismail Road
ラジャスタン
エンポリウム
サンガネール
ゲート
マヒラ
チキットサラヤ
ジャイプル
動物園
ラヴィンドラ
マンチ
Motidungri Marg
ラーム
ニワス庭園
アルバートホール
博物館
Moti Doongri Road
マサラ
チョウク
JLN Marg
0m
500m
N

ペット、ラージプート絵画、木工芸品、陶器、武器はじめ、プトレマイオス時代のエジプトのミイラ、ペルシャのシャー・アッバース帝から購入した絨毯まで収蔵品は幅広く、1階にはラージプートや商人、少数民族の衣装を展示する。建物の設計はロンドンのヴィクトリア・アンド・アルバート博物館を踏まえ、チャトリにドームが載るといったムガル建築とインド土着のラージプート建築、ヨーロッパの建築を融合させたインド・サラセン様式となっている。当初、市庁舎として建てられたが、マハラジャ・サワイ・マドー・シン2世(1880〜1922年)が博物館として使うことを決めた。

ジャイプル最高のインド・サラセン建築

アルバート・ホール博物館は、数々のインド・サラセン建築の手がけたスウィントン・ジェイコブ卿(1841〜1917年)によって設計された。インドに滞在する軍人の家庭に生まれたジェイコブは15歳でムンバイのイギリス工部省

★★★
ピンク・シティ(ジャイプル旧市街) *Pink City*

★★☆
M・I・ロード *Mirza Ismail Road*
アルバート・ホール博物館(中央博物館) *Albert Hall Museum (Central Museum)*
ジョハリ・バザール *Johari Bazar*
バープー・バザール *Bapu Bazar*

★☆☆
ラーム・ニワス庭園 *Ram Niwas Garden*
マサラ・チョウク *Masala Chowk*
ジャイプル動物園 *Zoological Garden*
マヒラ・チキットサラヤ *Mahila Chikitsalaya*
ラヴィンドラ・マンチ *Ravindra Manch*
ニュー・ゲート *New Gate (Naya Pol)*
チョウラ・ラスタ *Chaura Rasta*
キシャン・ポル・バザール *Kishanpol Bazar*
アジメール・ゲート *Ajmeri Gate*
ネルー・バザール *Nehru Bazar*
ラジャスタン・エンポリウム *Rajasthan Emporium*
宝石・宝飾品博物館 *Museum of Gem and Jewellery*

に入り、1867年にジャイプルのラーム・シン2世(1835～80年)に技術者として招かれた(1883年にこの建物は設計された)。ジェイコブはファテープル・シークリーのパンチ・マハル、アクバル廟など、ヨーロッパの建築にデリーやアーグラの建築様式をデザインにとりいれながら、アルバート・ホールの設計を行ない、現地のインド職人技術を使って完成させた。建物の入口にはインド職人の名前が刻まれている。ジェイコブはアラハバード総合大学、ラルカーパレスなどの設計でも知られ、インド・サラセン様式を確立した建築家でもあった。

マサラ・チョウク ★☆☆

Masala Chowk ㊥मसाला चौक ㋒مسالہ چوک

ラーム・ニワス庭園、アルバート・ホール博物館の東側に位置するマサラ・チョウク。サンドイッチ、チャート、パニプリ、サモサなどのジャイプル料理を出す屋台の集まるフード・ストリートでジャイプルのローカル・フードを味わえる。

ジャイプル動物園 ★☆☆

Zoological Garden／㊥जूलॉजिकल पार्क ／㋒چڑیا گھر

鳥類と爬虫類、哺乳類などがエリアごとに飼育され、ベンガルトラ、孔雀、ワニなどに出合えるジャイプル動物園。1868年、サワイ・ラジャ・プラタップ・シンによって、ここラーム・ニワス庭園で設立された歴史をもつ。

マヒラ・チキットサラヤ ★☆☆

Mahila Chikitsalaya／㊥महिला चिकत्सालय ㋒خواتین کا کلینک

1870～1875年創建のマヨ・ホスピタルを前身とする病院マヒラ・チキットサラヤ。イギリス統治時代に建てられた石づくりの建物で、現在はサワイ・マンシン(SMS)・メディカル・カレッジに所属する。サワイ・ラーム・シン2世

ラジャスタンでもっとも早く開館した博物館でもある

ジャイプルの代表的建築にもあげられるアルバート・ホール博物館(中央博物館)

ラーム・ニワース庭園で物売りに出合った

大きな荷物を頭に載せている人

(1835～80年)の行なった城郭都市外側の公共事業のひとつとして整備された。

ラヴィンドラ・マンチ ★☆☆

Ravindra Manch／Ⓗरवींद्र मंच／Ⓤرویندر منچ

　ラーム・ニワス庭園に残る劇場のラヴィンドラ・マンチ。ジャイプルを代表する劇場で、演劇や音楽コンサートが開催される。

West Jaipur

市街西部城市案内

19世紀以来、新市街として開発が進んだ市街西部
ジャイプル・ジャンクション駅とシンディー・キャンプ
という公共交通の拠点が位置する

ジャイプル新市街 ★☆☆

New Jaipur ⓗ न्यू जयपुर ／ⓤ نیا جے پور

ジャイプル・ジャンクション駅のある市街西部は、イギリス統治時代以降に発展した新市街。マラータ勢力などの攻撃を防ぐため、18世紀末以降、イギリス東インド会社とジャイプルのあいだで協定が結ばれ、1818年、ジャイプルは正式にイギリスの保護下に入った。イギリスはジャイプル旧市街（ピンク・シティ）の西郊外に鉄道駅をつくり、こちら側にキリスト教会、中央郵便局、イギリス人居留区がおかれることになった。それまで城郭都市ジャイプルの城門は夜11時にはしまっていたが、1923年、西門のチャンド・ポルが24時間開放されることになり、この新市街と旧市街が一体化していった。また1930年代からジャイプル旧市街の人口増加もあって、市街南部と西部の人口増がはじまり、1942〜44年にジャイプルの首相をつとめたミルザ・イスマイルが、ジャイプル郊外開発のAスキームからEスキームまでの計画を進め、ジャイプル新市街が拡大した。A〜Eまでのスキームのうち、市街西部（ニューコロニーとジャルプラ）はDスキームにあたり、その北のバニ・パークはEスキームにあたる。また南側のCスキームは地名として残っている（最初にこのDスキーム、続いてCスキームが開発された）。現在ではジャイプル鉄道駅のほか

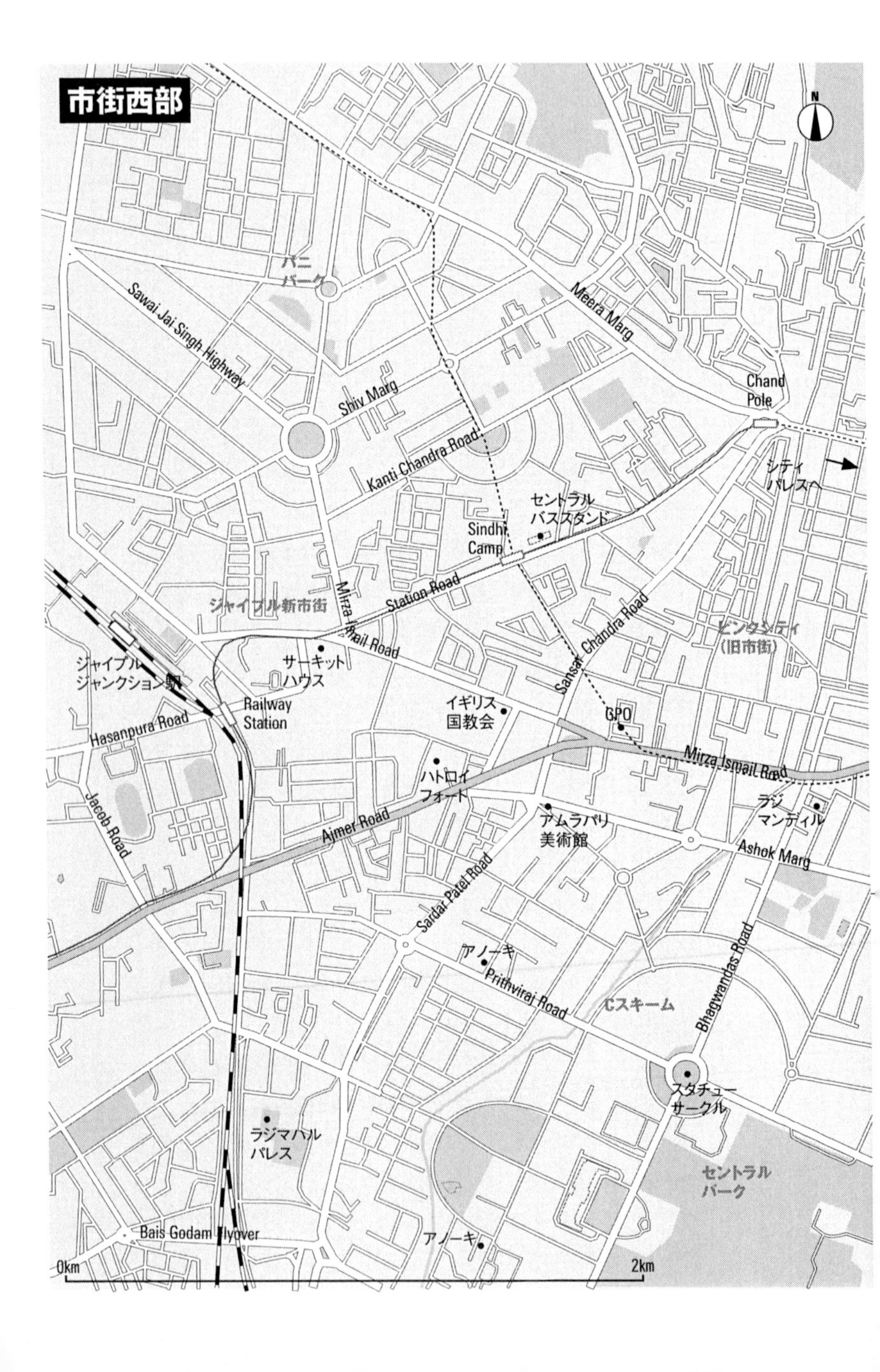
市街西部
N
Sawai Jai Singh Highway
バニパーク
Meera Marg
Shiv Marg
Kanti Chandra Road
Chand Pole
シティパレスへ
セントラルバススタンド
Sindhi Camp
Station Road
ジャイプル新市街
Mirza Ismail Road
Sansar Chandra Road
ピンクシティ（旧市街）
サーキットハウス
ジャイプルジャンクション駅
Railway Station
Hasanpura Road
イギリス国教会
GPO
Mirza Ismail Road
ハトロイフォート
ラジマンディル
Jacob Road
Ajmer Road
アムラパリ美術館
Ashok Marg
Sardar Patel Road
Bhagwandas Road
アノーキ
Prithviraj Road
Cスキーム
スタチューサークル
ラジマハルパレス
セントラルパーク
Bais Godam Flyover
アノーキ
0km
2km

バスターミナルのシンディー・キャンプが位置し、ジャイプル南門へ続くM・I・ロード、西門へ続くステーション・ロードが交わる地点にサーキット・ハウスが立つ。

ジャイプル・ジャンクション駅 ★☆☆

Jaipur Junction Railway Station ／ⓗ जयपुर जंक्शन रेलवे स्टेशन ／ⓤ جے پور جنکشن ریلوے اسٹیشن

ラジャスタン地方最大の鉄道駅で、ジャイプルとインド各地と鉄道で結ばれたジャイプル・ジャンクション駅。イギリス統治時代の1875年に市街西部に建設され、現在はデリーとジョードプルを結ぶ路線、デリーとアーメダバードを結ぶ路線などが走る。近くのバスターミナルのシンディー・キャンプとともにジャイプルの玄関口となっている。

シンディー・キャンプ ★☆☆

Sindhi Camp ／ⓗ सिंधी कैंप ／ⓤ سندھی کیمپ

インド各地とジャイプルを結ぶバスターミナルのあるシンディー・キャンプ。シンディー・キャンプという名前は、1947年の印パ分離独立にあたって、パキスタンに編入されたシンド地方(カラチなど、インダス川下流域)のヒンドゥー

★★★

ピンク・シティ(ジャイプル旧市街) *Pink City*

★★☆

M・I・ロード *Mirza Ismail Road*

★☆☆

ジャイプル・ジャンクション駅 *Jaipur Junction Railway Station*
シンディー・キャンプ *Sindhi Camp*
イギリス国教会 *All Saints' Church*
アムラパリ美術館 *Amrapali Museum*
ハトロイ・フォート *Hathroi Fort*
Cスキーム *C-Scheme*
スタチュー・サークル *Statue Circle*
アノーキ *Anokhi*
セントラル・パーク *Central Park*
ラジ・マハル・パレス *Raj Mahal Palace (Sujan Raj Mahal Palace)*
ラジ・マンディル *Raj Mandir*

教徒が難民として西インドのラジャスタンに逃れてきたことに由来する。多くのシンド人がジャイプルに避難し、そのうち旧市街の外側に暮らした（1940〜70年代にかけて移動してきた）。シンディー・キャンプという名称はここに由来し、シンド人難民は小売業や新しい市場をつくることでジャイプルの住人となった。現在、シンディー・キャンプはジャイプル旧市街と鉄道駅、新市街を結ぶこの街屈指の交通の要衝となっている。

イギリス国教会 ★☆☆

All Saints' Church ㋪ऑल सेंट्स चर्च ㋒آل سینٹس چرچ

ジャイプル市街西部に立つキリスト教のイギリス国教会。ジャイプルは1818年にイギリスの保護領となり、イギリス軍人をはじめとする人たちがジャイプルで暮らした（そのなかには『ラージャスターン年代記』を記したジェイムズ・トッドがいる）。このイギリス国教会は、イギリス人が礼拝に訪れるために19世紀に建てられ、現在も石づくりの美しいたたずまいを見せる。

アムラパリ美術館 ★☆☆

Amrapali Museum／㋪आम्रपाली संग्रहालय ㋒امراپالی میوزیم

「宝石の都」とも言われるジャイプルにあって、インドのジュエリーや宝石を展示したアムラパリ美術館。インド各地から集められた金や銀の貴金属、インド職人の熟練技術の光る一品が展示されている。

ハトロイ・フォート ★☆☆

Hathroi Fort ㋪हथरोई फोर्ट ㋒ہتھروئی فورٹ

ハトロイ・フォートは1727年のジャイプル造営にあわせて、市街を防衛するために周囲に築かれた砦のひとつ。ジャイ・シン2世は、北のナルガール・フォートなどとともに西のハトロイ・フォートを築いていた（城壁が残っている）。

19世紀までは旧市街とハトロイ・フォートのあいだにはほとんど何もなかったが、やがて市街地と一体化し、現在ではゲストハウスとして使われている。

18世紀以来の建築が街のいたるところに残る

屋台に集まる人たち

少しの距離で活躍するサイクル・リキシャ

デーヴァナーガリー文字で埋められた看板

tribes
india

South Jaipur

市街南部城市案内

**ジャイプル市街南部は20世紀以降に発展した新市街
ラジャスタン州の官庁の集まるCスキームはじめ
旧市街とは異なる整然とした街区を見せる**

ビルラー寺院 ★★☆

Birla Mandir／Ⓗबिड़ला मंदिर／Ⓤبرلا مندر

ジャイプル市街南部（新市街）、モティ・ドゥングリの麓に立つビルラー寺院。ビルラー財閥の寄進で各地に建てられたヒンドゥー寺院のひとつで、ヴィシュヌ神の化身ナラヤンと、その妻で富と幸運の女神ラクシュミーをまつることから、ラクシュミー・ナラヤン寺院とも呼ばれる。白大理石一色で彩られた外観と大きなシカラ、インドの3つの宗教を示すという3つのドームが強い印象をあたえる。また内部は神話をテーマとした精巧な彫刻、1枚の大理石に彫られたラクシュミーとナラヤンの像が安置されている。1988年に建立された。

モティ・ドゥングリ・ガネーシャ寺院 ★☆☆

Moti Dungri Ganesh Ji Mandir／Ⓗमोतीडूंगरी गणेश मंदिर
Ⓤموتی ڈونگری گنیش مندر

縁起がよいとしてジャイプルでも有数の人気のモティ・ドゥングリ・ガネーシャ寺院。象頭のガネーシャ神は、シヴァ神とパールヴァティー神の子どもで、あらゆる障害をとりのぞくという。18世紀初頭、熱心なイスラム教徒であるムガル帝国アウラングゼーブ帝の弾圧から逃れるため、ヒンドゥー教団や彫像がラジャスタンに遷っ

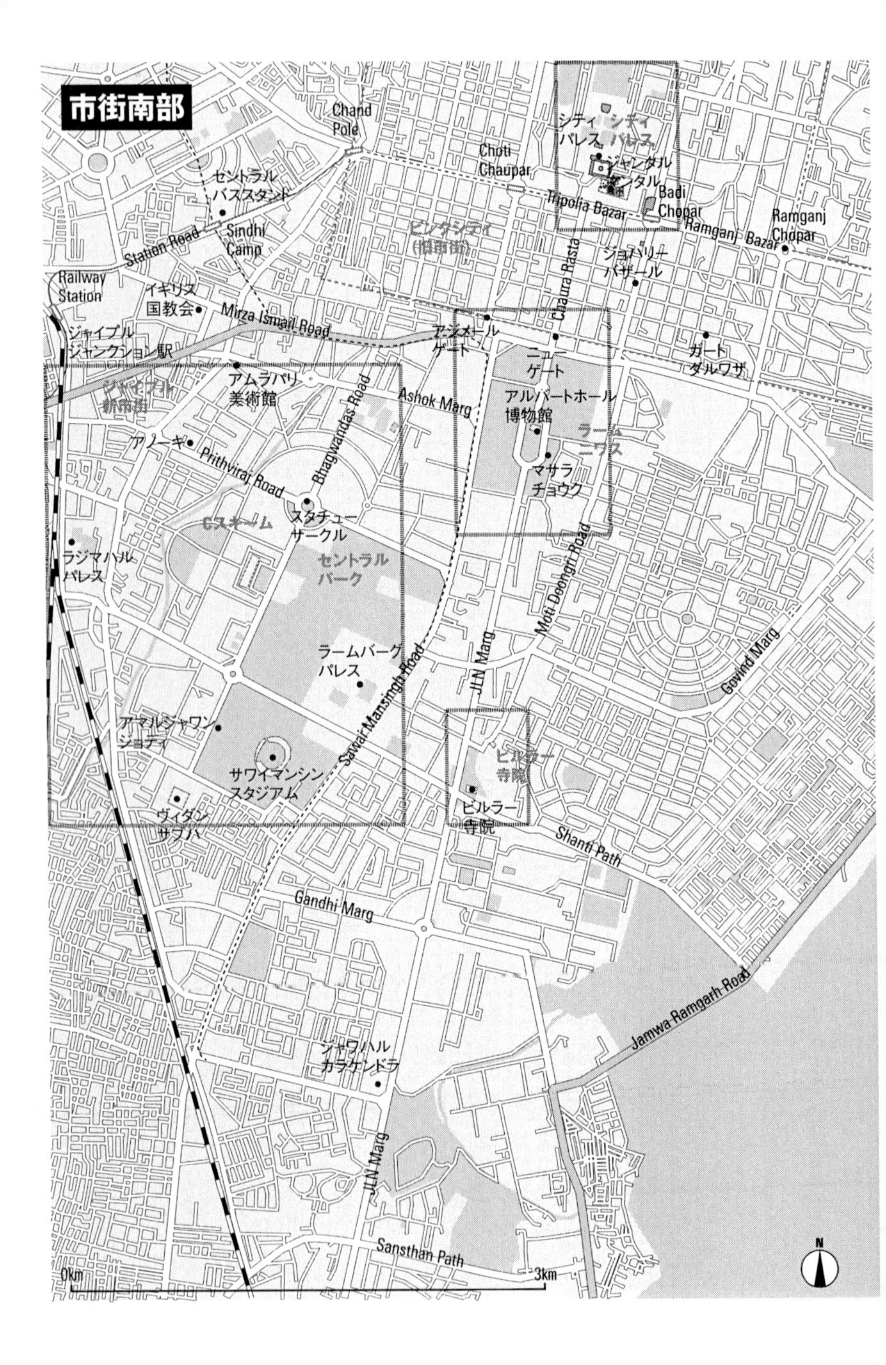

市街南部
Chand Pole
シティパレス
Choti Chaupar
ジャンタル・マンタル
Badi Chopar
Tripolia Bazar
セントラルバススタンド
Station Road
Sindhi Camp
Ramganj Chopar
Ramganj Bazar
ジョハリーバザール
Chaura Rasta
Railway Station
イギリス国教会
Mirza Ismail Road
ジャイプルジャンクション駅
アジメールゲート
ニューゲート
ガートダルワザ
アムラパリ美術館
Ashok Marg
アルバートホール博物館
Bhagwandas Road
アノーキ
Prithviraj Road
マサラチョウク
スタチューサークル
ラジマハルパレス
セントラルパーク
Moti Doongri Road
ラームバーグパレス
JLN Marg
Govind Marg
Sawai Mansingh Road
アマルジャワンジョティ
サワイマンシンスタジアム
ヴィダンサブハ
ビルラー寺院
Shanti Path
Gandhi Marg
Jamwa Ramgarh Road
ジャワハルカラケンドラ
JLN Marg
Sansthan Path
0km
3km
N

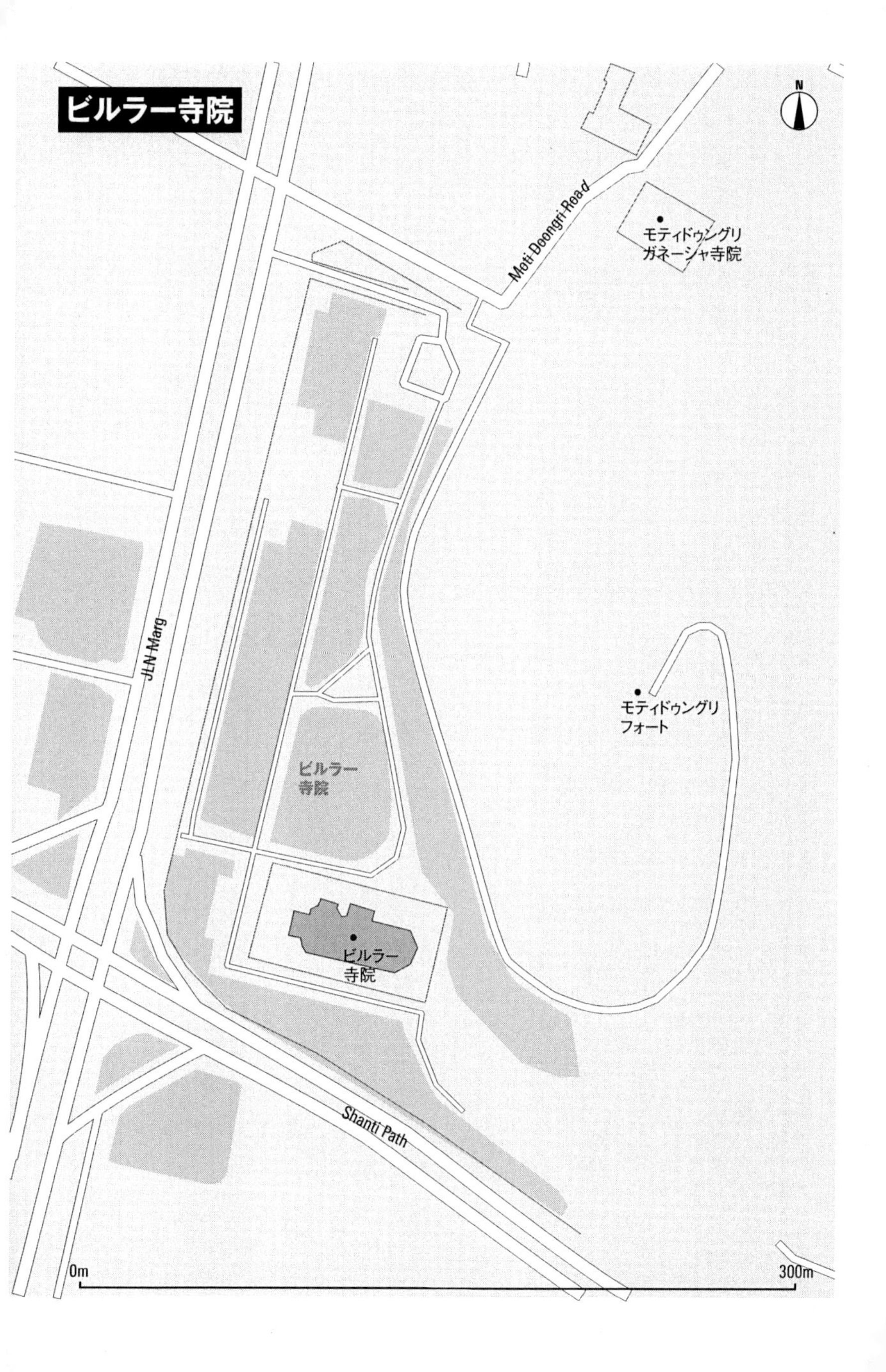

ビルラー寺院
Moti Doongri Road
モティドゥングリ
ガネーシャ寺院
JLN Marg
モティドゥングリ
フォート
ビルラー
寺院
ビルラー
寺院
Shanti Path
0m
300m
N

てくるということがあった。ある日、メワール(ウダイプル)の王がガネーシャ像を牛車に載せて旅をしていて、牛車のとまった場所にその像を安置しようと考えていた。そして、とまった場所こそ、ここモティ・ドゥングリの丘の麓だったという。こうしてモティ・ドゥングリ・ガネーシャ寺院は、18世紀初頭、セト・ジャイ・ラーム・パリワルによって建てられ、オレンジ色のガネーシャ像を安置する。

★★★

シティ・パレス *City Palace*
ジャンタル・マンタル *Jantar Mantar*
ピンク・シティ(ジャイプル旧市街) *Pink City*

★★☆

ビルラー寺院 *Birla Mandir*
バリー・チョウパル *Badi Chaupar*
ジョハリ・バザール *Johari Bazar*
M・I・ロード *Mirza Ismail Road*
アルバート・ホール博物館(中央博物館) *Albert Hall Museum (Central Museum)*

★☆☆

モティ・ドゥングリ・ガネーシャ寺院 *Moti Dungri Ganesh Ji Mandir*
モティ・ドゥングリ・フォート *Moti Dungri Fort*
Cスキーム *C-Scheme*
スタチュー・サークル *Statue Circle*
アノーキ *Anokhi*
セントラル・パーク *Central Park*
ラーム・バーグ・パレス *Ram Bagh Palace*
アマル・ジャワン・ジョティ *Amar Jawan Jyoti*
ヴィダン・サブハ *Vidhan Sabha*
ラジ・マハル・パレス *Raj Mahal Palace (Sujan Raj Mahal Palace)*
ラーム・ニワス庭園 *Ram Niwas Garden*
ジャイプル新市街 *New Jaipur*
ジャイプル・ジャンクション駅 *Jaipur Junction Railway Station*
シンディー・キャンプ *Sindhi Camp*
イギリス国教会 *All Saints' Church*
アムラパリ美術館 *Amrapali Museum*
ジャワハル・カラ・ケンドラ(JKK) *Jawahar Kala Kendra*
トリポリア・バザール *Tripolia Bazar*
チョウラ・ラスタ *Chaura Rasta*
ラームガンジ・バザール *Ramganj Bazar*
ガート・ダルワザ *Ghat Darwaza*
アジメール・ゲート *Ajmeri Gate*
ニュー・ゲート *New Gate (Naya Pol)*

真っ白な外観のビルラー寺院

ターバン、民族衣装の人たち

ラーム・ニワース庭園の開発から街の拡大がはじまった

ビルラー寺院から見たモティ・ドゥングリ・フォート

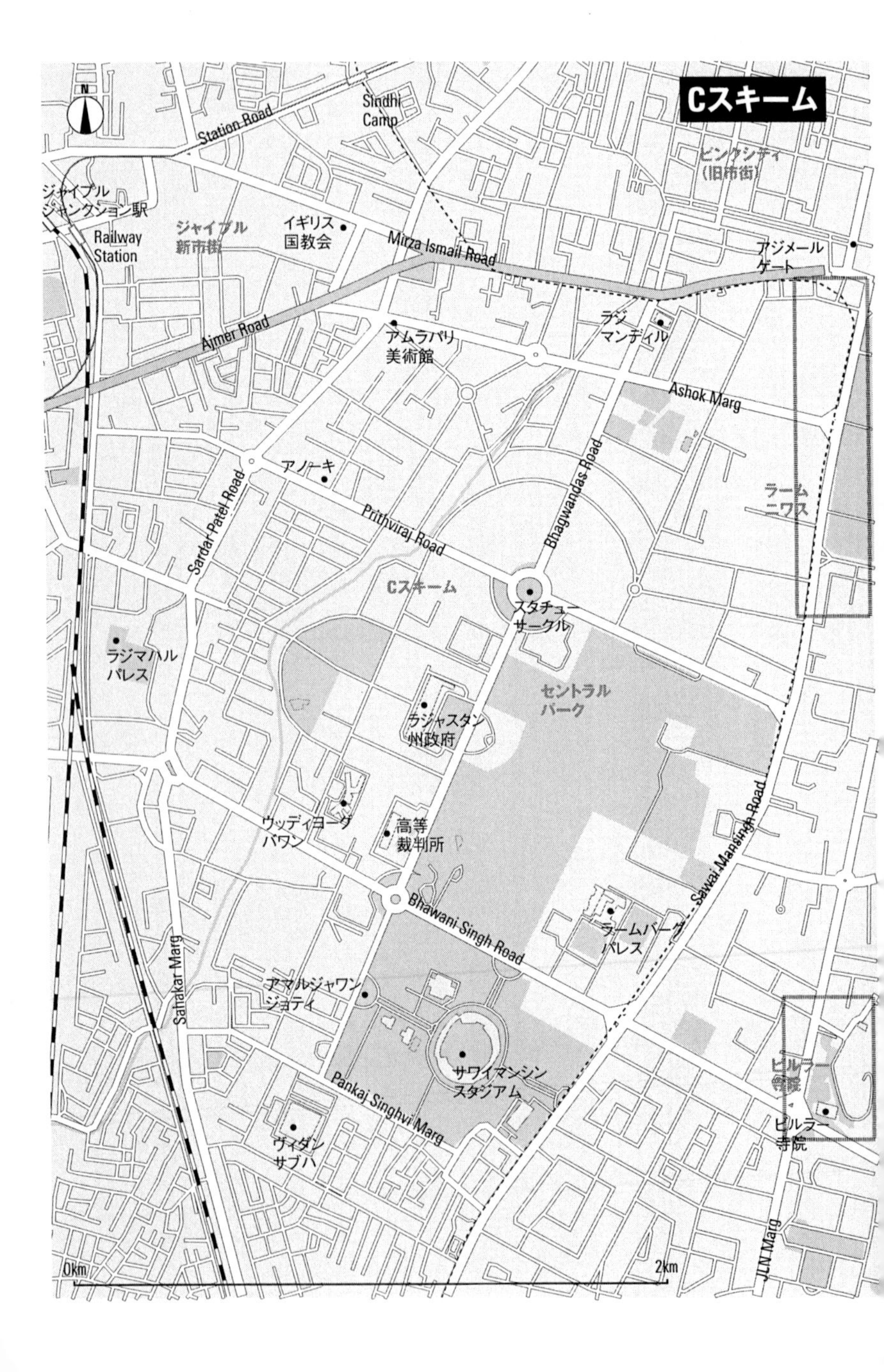

Cスキーム
N
Station Road
Sindhi Camp
ピンクシティ
（旧市街）
ジャイプル
ジャンクション駅
Railway Station
ジャイプル
新市街
イギリス
国教会
Mirza Ismail Road
アジメール
ゲート
Ajmer Road
アムラパリ
美術館
ラジ
マンディル
Ashok Marg
アノーキ
Sardar Patel Road
Prithviraj Road
Bhagwandas Road
ラーム
ニワス
Cスキーム
スタチュー
サークル
ラジマハル
パレス
セントラル
パーク
ラジャスタン
州政府
ウッディヨーグ
バワン
高等
裁判所
Sawai Mansingh Road
Bhawani Singh Road
ラームバーグ
パレス
Sahakar Marg
アマルジャワン
ジョティ
サワイマンシン
スタジアム
ビルラー
寺院
Pankaj Singhvi Marg
ヴィダン
サブハ
ビルラー
寺院
JLN Marg
0km
2km

モティ・ドゥングリ・フォート ★☆☆

Moti Dungri Fort／Ⓗमोती डूंगरी फोर्ट／Ⓤموتی ڈنگری فورٹ

ジャイプル南郊外にそびえる小さな丘に立つモティ・ドゥングリ・フォート。モティ・ドゥングリとは「真珠の丘」という意味で、そのかたちが真珠の粒に似ていることから名づけられた。もともとマハラジャ・サワイ・マン・シン(在位1922〜49年)の邸宅がおかれていた場所で、スコットランドの城を模してつくられた。麓にはビルラー寺院とモティ・ドゥングリ・ガネーシャ寺院が位置する。

Cスキーム ★☆☆

C-Scheme／Ⓗसी स्कीम　Ⓤسی اسکیم

Cスキーム(アショカ・ナガル)は、ジャイプル旧市街と鉄道駅の南郊外に広がり、ラジャスタンの行政府や裁判所などが集まるハイエンドなエリア。20世紀に入ってから人口が増えたことにより、ジャイプルでは城郭都市の外側に市街地が形成されるようになった。とくに1930年代か

★★★

ピンク・シティ(ジャイプル旧市街) *Pink City*

★★☆

ビルラー寺院 *Birla Mandir*

M・I・ロード *Mirza Ismail Road*

★☆☆

Cスキーム *C-Scheme*

スタチュー・サークル *Statue Circle*

アノーキ *Anokhi*

セントラル・パーク *Central Park*

ラーム・バーグ・パレス *Ram Bagh Palace*

アマル・ジャワン・ジョティ *Amar Jawan Jyoti*

ヴィダン・サブハ *Vidhan Sabha*

ラジ・マハル・パレス *Raj Mahal Palace (Sujan Raj Mahal Palace)*

ラーム・ニワス庭園 *Ram Niwas Garden*

ジャイプル新市街 *New Jaipur*

ジャイプル・ジャンクション駅 *Jaipur Junction Railway Station*

シンディー・キャンプ *Sindhi Camp*

イギリス国教会 *All Saints' Church*

アムラパリ美術館 *Amrapali Museum*

ラジ・マンディル *Raj Mandir*

アジメール・ゲート *Ajmeri Gate*

らマハラジャがラームバーグ・パレスを居住地としたこともあって、南郊外に住宅地が形成された。ジャイプル郊外の開発にあたって、1941年、A～Eスキームまで5つの計画が考えられていた（Aがファテー・ティッバ、Bがメディカル・カレッジとガングワルパークエリア、Cがアショカ・ナガル、Dがニューコロニーとジャルプラ、Eがバニ・パーク）。1942～44年までジャイプル州の首相であったサー・ミルザ・イスマイルは、とくにここCスキームの開発に重点をおき、1942年以降現在のような広大な区画が生まれた。

スタチュー・サークル ★☆☆

Statue Circle／Ⓗ स्टेच्यु सर्किल ／Ⓤ مجسمہ سرکل

ジャイプル新市街Cスキームの中心に位置するスタチュー・サークル。1942年にはじまるCスキームの開発にあたって、ジャイプル建設者のマハラジャ・サワイ・ジャイ・シン2世に敬意を払って、このスタチュー・サークルに等身大の白大理石像がおかれた。ここから横軸にプリトゥビラージ・ロード、縦軸にバグワンダース・ロードが伸びる。またすぐそばにはビルラー財閥によるプラネタリウムがある。

アノーキ ★☆☆

Anokhi Ⓗ अनोखी ／Ⓤ انوکھی

ジャイプルで生まれたファッション・ブランドで、インド各地に店舗を構えるアノーキ。織物技術のブロック・プリントを利用した洗練されたデザインで人気が高く、それらはジャイプルで育まれた伝統をもとにしている（手版は木でつくられたブロック）。植物性の染色衣料、生地、テキスタイル、刺繍、パッチワーク、ビーズワークなどをあつかう。アノーキとは「ユニーク」という意味で、Cスキームに位置するほか、アンベールでアノーキ博物館が開館している。

セントラル・パーク ★☆☆

Central Park／㋪ सैन्ट्रल पार्क ／㋒ مرکزی پارک

ジャイプル南郊外に広がる巨大な緑地のセントラル・パーク。ジャイプル開発局によって整備され、人びとの憩いの場となっている。モニュメント、庭園、ポログランド、ゴルフクラブが集まる。空高くたなびく国旗も見える。

ラーム・バーグ・パレス ★☆☆

Ram Bagh Palace　㋪ रामबाग पैलेस ／㋒ رام باغ محل

ピンク・シティ南部に位置するラーム・バーグ・パレス。ここはもともとジャイプル王家の狩猟場だったところで、1840年、マハラジャ・ラーム・シン(1835～80年)によって宮殿が建てられた。マハラジャはジャイプル南郊外のこの宮殿におもに暮らしていたが、1915年にマドー・シンによって迎賓館となった(1930年代からジャイプルの人口増もあって、市街南部一帯が開発された)。現在は改装され、ホテルとして利用されている。

アマル・ジャワン・ジョティ ★☆☆

Amar Jawan Jyoti／㋪ अमर जवान ज्योति ／㋒ امر جوان جیوتی

アマル・ジャワン・ジョティは戦争や軍事などで生命を落とした殉教者のための記念碑。常に炎が燃えていて、夕方にはライトアップされる。アマル・ジャワン・ジョティとは「不滅の兵士の炎」を意味する。

ヴィダン・サブハ ★☆☆

Vidhan Sabha／㋪ विधान सभा ／㋒ ودھان سبھا

Cスキームの縦軸バグワンダース・ロードの南端に立つラジャスタン州議事堂ヴィダン・サブハ。2001年に完成し、インド・サラセン様式を受け継ぐ建築で、堂々としたファザード、その奥には大きなドームが見える。ドームのうえにはアショカ王のライオン像、また入口の門には象の彫像がおかれている。スタチュー・サークルに対置するように立つ。

ラジ・マハル・パレス ★☆☆

Raj Mahal Palace（Sujan Raj Mahal Palace）／Ⓗराज महल पैलेस／Ⓤراج محل

ジャイプル旧市街から南西3kmに離れたラジ・マハル・パレス。1727年にジャイプルを建設したサワイ・ジャイ・シン2世が、愛する妻チャンドラ・カンワル・ラナワット（メワールのマハラナの娘）のために築いた宮殿で、1739年以来の伝統をもつ。イギリス統治時代の1821年には、ラージプターナの英国駐在政治官の公邸となり、その後、海外からの客人をもてなす高級ホテルとして開館した。ラジャスタンの伝統的な宮殿建築の様式をもち、職人技が光る調度品、大理石の階段、巨大なシャンデリア、ムガル式中庭などが見られる。

East Jaipur

市街東部城市案内

ジャイプル市街を東から見守るように立つ丘陵
東はジャイプル王族の祖先太陽がのぼる方角でもある
ジャイプル有数のヒンドゥー聖地ガルタジー

ガルタジー ★★☆

Galta Ji／㊪गलता जी ／㋒گلتا جی

　ジャイプルを東側から守護するように、「太陽の門(スーラジ・ポル、東門)」外にそびえる丘陵ガルタジー。ガルタ・クンドという泉が湧くこの丘は、古くからヒンドゥー教の巡礼地として知られ、聖者ガラヴがここに庵を結び、瞑想や修行を行なっていたという。1727年にジャイプルが建設されると、ジャイ・シン2世に仕えるディワン・ラオ・クリパラムがこの地にガルタ寺院(ガルタジー)を建立した(寺院名は聖者ガラヴに由来する)。低い丘にガルタ寺院はじめ、ガルタ・クンド、スーリヤ寺院、神猿ハヌマンをまつるハヌマン寺院などが展開する複合宗教聖地となっていて、多くの猿が生息することから、地元の人からは「ラムゴパルジ(猿の寺)」と呼ばれている。ここからジャイプルの街を一望できる。

スーリヤ寺院 ★☆☆

Surya Mandir（Sun Temple）　㊪सूर्य मंदिर ／㋒سوریہ مندر

　太陽の昇るジャイプル東の方角に立つスーリヤ寺院(スーラジ寺院、太陽寺院)。ジャイプルのカッチワーハ氏族は太陽神スーリヤの子孫を自認し、王家の守護神として信仰されている。太陽門から月光門へいたる道がピンク・シ

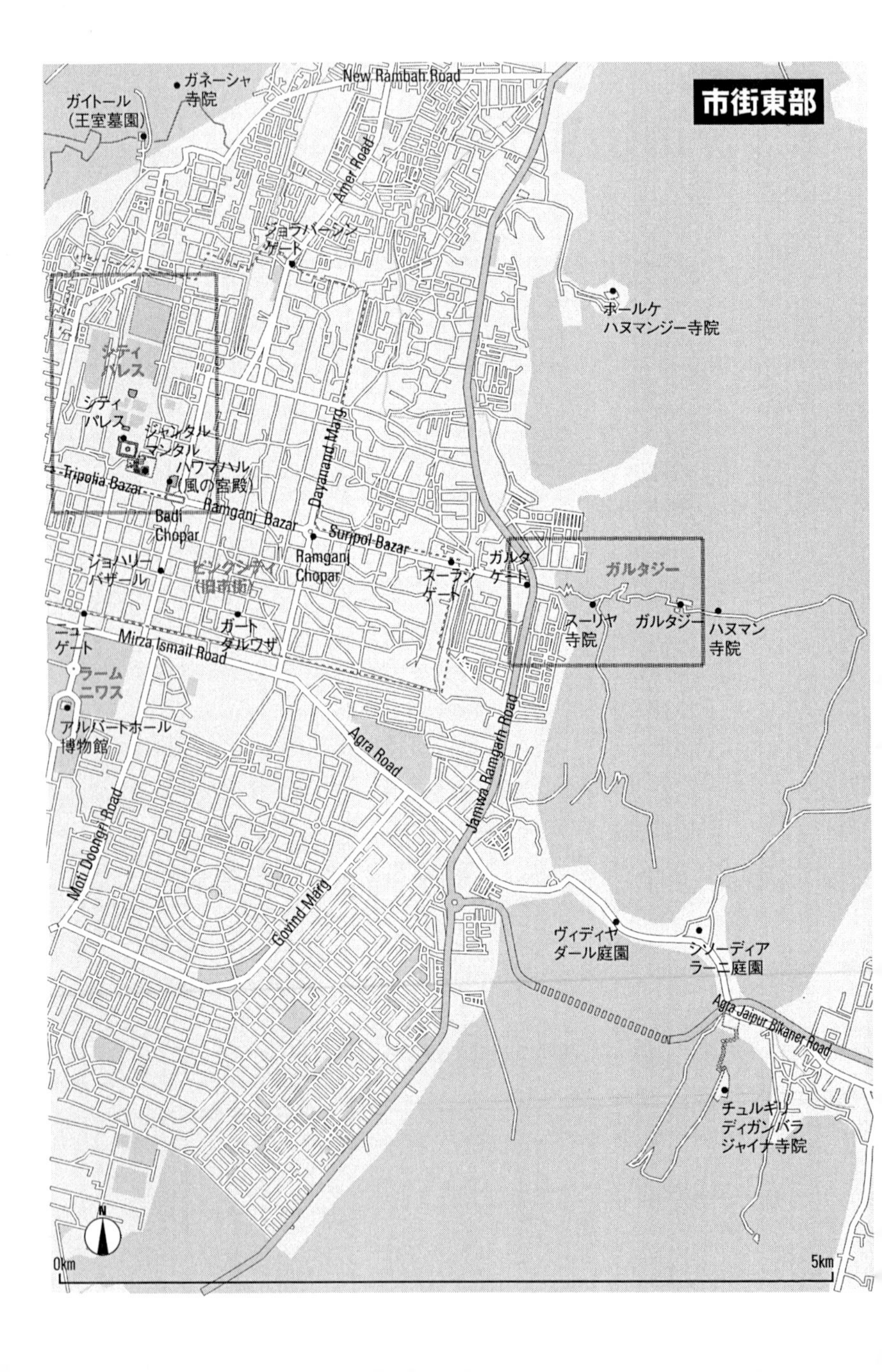
市街東部
New Rambah Road
ガネーシャ寺院
ガイトール（王室墓園）
Amer Road
ジョラバーシンゲート
ホールケハヌマンジー寺院
シティパレス
シティパレス
ジャンタルマンタル
ハワマハル（風の宮殿）
Tripolia Bazar
Dayanand Marg
Ramganj Bazar
Badi Chopar
Surjpol Bazar
Ramganj Chopar
ジョハリーバザール
ピンクシティ（旧市街）
スーラジゲート
ガルタゲート
ガルタジー
スーリヤ寺院
ガルタジー
ハヌマン寺院
ニューゲート
ガートダルワザ
Mirza Ismail Road
ラームニワス
アルバートホール博物館
Agra Road
Jamwa Ramgarh Road
Moti Doongri Road
Govind Marg
ヴィディヤダール庭園
シソーディアラーニ庭園
Agra Jaipur Bikaner Road
チュルギリディガンバラジャイナ寺院
N
0km
5km

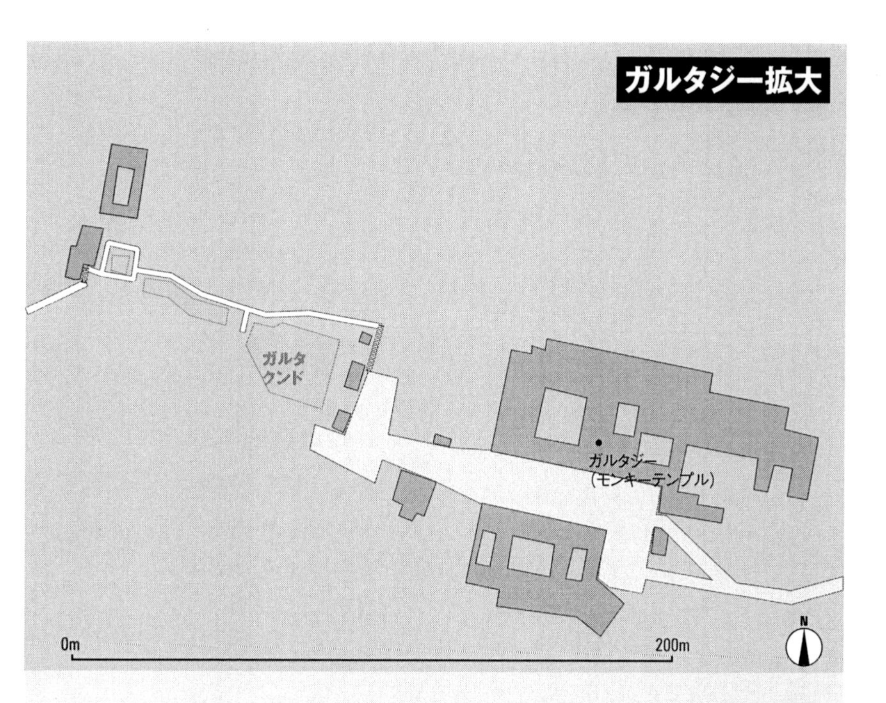

ガルタジー拡大
ガルタ
クンド
ガルタジー
（モンキーテンプル）
N
0m
200m

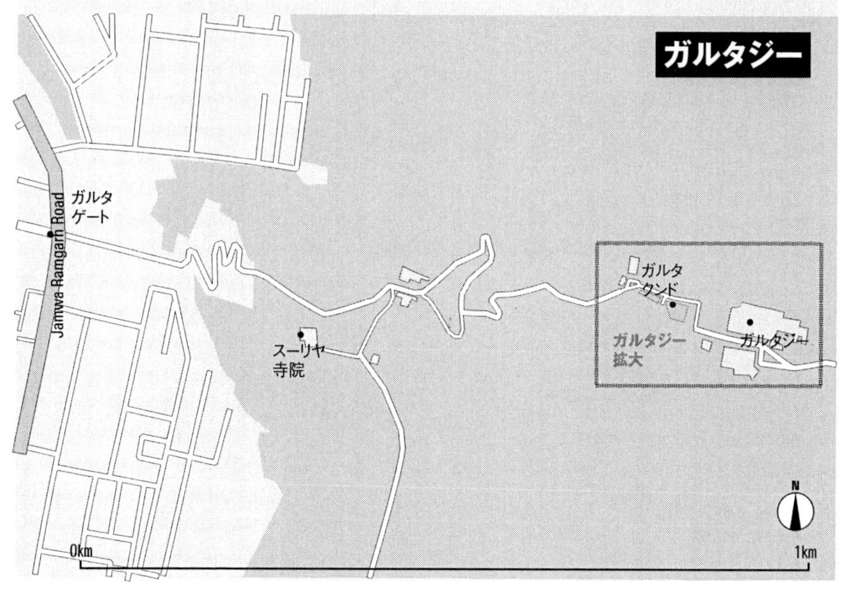

ガルタジー
ガルタ
ゲート
Jamwa Ramgarh Road
スーリヤ
寺院
ガルタ
クンド
ガルタジー
拡大
ガルタジー
N
0km
1km

ティの軸線となっていて、この寺院を起点に東西を結ぶ通りがジャイプル旧市街をつらぬいている。

シソーディア・ラーニ庭園 ★☆☆

Sisodia Rani Ka Bagh Ⓗसिसोदिया रानी महल और बाग़ ／
Ⓤسیسودیا رانی محل اور باغ

1727年にジャイプルを造営したマハラジャ・サワイ・ジャイ・シン2世が、2番目の妻であるシソーディア王妃のために建立した宮殿と庭園のシソーディア・ラーニ庭園。シソーディアとはラージプート諸族でも屈指の名門であるシソーディア王家(ウダイプル)のことで、その王妃を迎えることはジャイプルのカッチワーハ氏族にとっては政略結婚だった。奥に進むほど高くなる美しい宮殿、ラーダーとクリシュナの伝説が描かれた壁画、噴水、水路をもつムガル様式の庭園が残る。ジャイプル南東郊外、アーグラへ

★★★

シティ・パレス *City Palace*
ジャンタル・マンタル *Jantar Mantar*
ハワ・マハル(風の宮殿) *Hawa Mahal*
ピンク・シティ(ジャイプル旧市街) *Pink City*

★★☆

ガルタジー *Galta Ji*
ガイトール(王室墓園) *Royal Chatris (Gaitor)*
M・I・ロード *Mirza Ismail Road*
アルバート・ホール博物館(中央博物館) *Albert Hall Museum (Central Museum)*
バリー・チョウパル *Badi Chaupar*
ジョハリ・バザール *Johari Bazar*

★☆☆

スーリヤ寺院 *Surya Mandir (Sun Temple)*
シソーディア・ラーニ庭園 *Sisodia Rani Ka Bagh*
ヴィディヤダール庭園 *Vidyadhar Bagh*
チュルギリ・ディガンバラ・ジャイナ寺院 *Chulgiri Digamber Jain Mandir*
ホール・ケ・ハヌマンジー寺院 *Khole Ke Hanuman Ji Mandir*
トリポリア・バザール *Tripolia Bazar*
ラームガンジ・バザール *Ramganj Bazar*
ガート・ダルワザ *Ghat Darwaza*
ガネーシャ寺院 *Garh Ganesh Mandir*
ニュー・ゲート *New Gate (Naya Pol)*
ラーム・ニワス庭園 *Ram Niwas Garden*

ジャイプル郊外の丘陵部に生息する猿

地形にあわせて寺院群が展開するガルタジー

周囲の丘陵から市街部をのぞむ

アラヴァリ山脈の尾根上に城壁が走る

続く街道沿いに位置するこの地はガート・キ・グニと呼ばれ、ムガル帝国の都アーグラから訪れる者を壮麗なムガル庭園が迎えるという意図があったという。

ヴィディヤダール庭園 ★☆☆

Vidyadhar Bagh ㊉विद्याधर का बाग़ ㋒ودیادھر باغ

ムガル様式の四分割が見られるヴィディヤダール庭園。1727年に完成した都市ジャイプルを設計したヴィディヤダールの名前がつけられている。シソーディア・ラーニ庭園のそばに位置し、アーグラからジャイプルを訪れる者の入口（ガート・キ・グニと呼ばれる、アラヴァリ山脈の峡谷）となっていた。

チュルギリ・ディガンバラ・ジャイナ寺院 ★☆☆

Chulgiri Digamber Jain Mandir／㊉चूलगिरी दिगम्बर जैन मंदिर／
㋒چولگیری ڈگمبر جین مندر

アラヴァリ山脈がつくる峡谷ガート・キ・グニ（素晴らしい階段）に立つチュルギリ・ディガンバラ・ジャイナ寺院。ディガンバラはジャイナ教空衣派のことで、ジャイナ教寺院特有の白大理石の建築、一糸まとわぬ聖者像が見られる。

ホール・ケ・ハヌマンジー寺院 ★☆☆

Khole Ke Hanuman Ji Mandir／㊉खोले के हनुमान जी मंदिर
㋒کھولے ہنومان مندر

ピンク・シティの北東、アラヴァリ山脈のつくる丘陵に立つホール・ケ・ハヌマンジー寺院。1960年代にあるバラモンがこの地で神猿ハヌマンの像を発見したことで、建設がはじまり、ジャイプルの宮殿を思わせる建築となっている。山間に溶け込むようにたたずむ。

North Jaipur

市街北部城市案内

**ジャイプルを北側からの要塞ナルガール・フォート
アンベールへと続く道には
ジャル・マハル（水の宮殿）や王族の墓も残る**

ナルガール・フォート ★★☆

Nahargarh Fort／ⓗ नाहरगढ़ क़िला／ⓤ نہر گڑھ قلعہ

ジャイプル造営（1727年）直後の1734年にジャイ・シン2世によって建てられたナルガール・フォート。アラヴァリ丘陵の尾根上に立ち、平地に位置するジャイプルを北側から守る役割を果たしていた（街の防衛目的の砦で、市街とは回廊で結ばれていた）。その後、1868年にマドー・シン2世が増築し、なかには王妃のために建てられた宮殿マードヴェンドラ・バワンが残っている。ジャイプルの街が眼下に広がるこの要塞は、タイガー・フォート（虎の住処）ともいい、ジャイプルを守る城壁が続いていく。また丘陵の地形を利用してつくられた階段井戸も見られる。

マードヴェンドラ宮殿 ★☆☆

Madhvendra Palace／ⓗ माधवेंद्र पैलेस／ⓤ مادھویندر محل

もともとあったナルガール・フォートに、マドー・シン2世（1861年〜1922年）が増築したマードヴェンドラ宮殿（マードヴェンドラ・バワン）。マドー・シン2世の9人の王妃のために建てられた宮殿で、中庭の周囲三方向にはそれぞれ3つずつ9つの部屋がおかれている。そして、残りのひとつの方向がマハラジャの居住空間となっていて、王室の夏の離宮として使用されていた。2階建ての宮殿は、花の意匠や壁

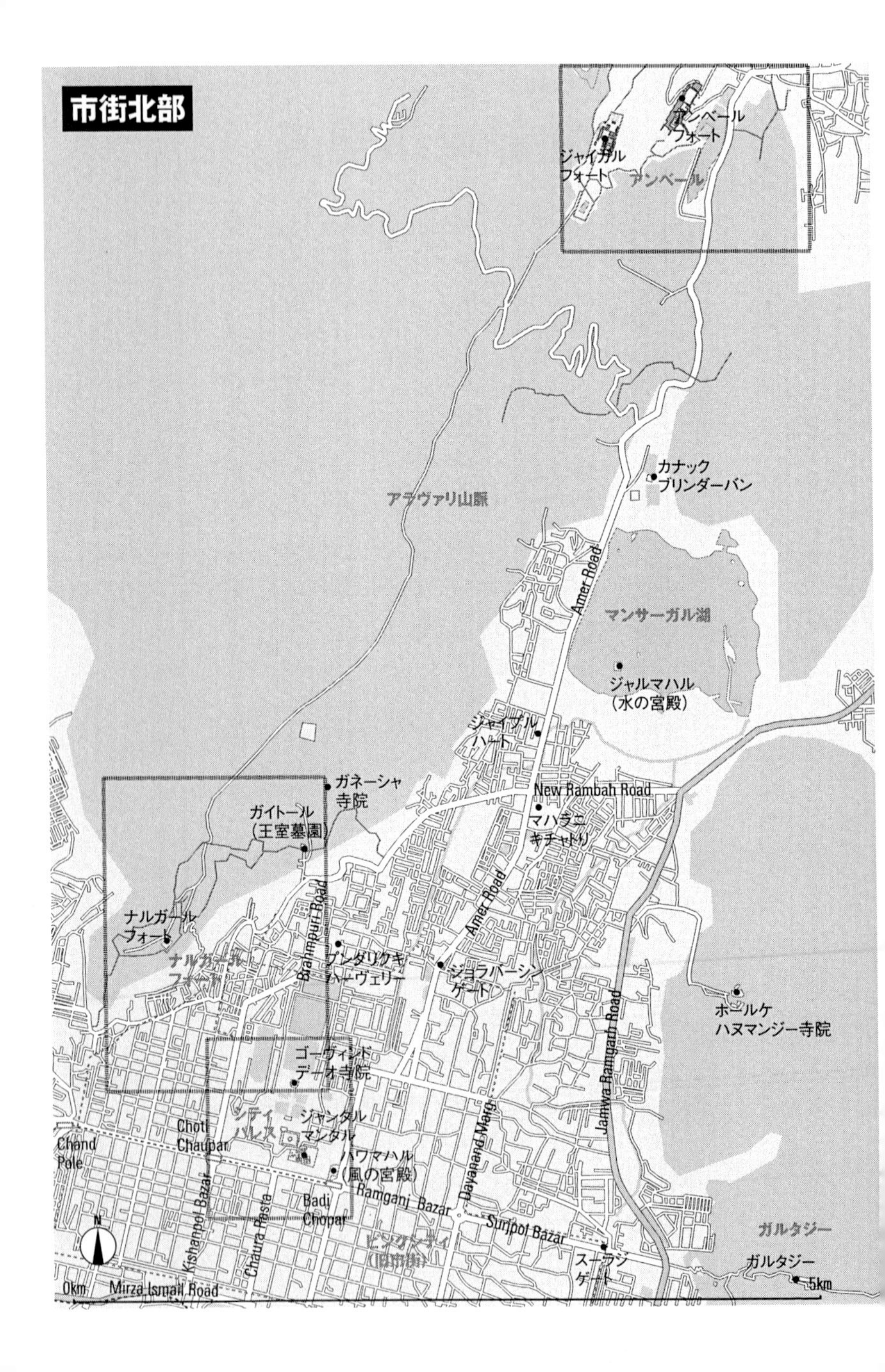
市街北部
アンベール
フォート
ジャイガル
フォート
アンベール
カナック
ブリンダーバン
アラヴァリ山脈
Amer Road
マンサーガル湖
ジャルマハル
(水の宮殿)
ジャイプル
ハート
ガネーシャ
寺院
New Rambah Road
マハラニ
キチャトリ
ガイトール
(王室墓園)
ナルガール
フォート
ナルガール
フォート
Brahmpuri Road
プンダリクキ
ハーヴェリー
ジョラバーシ
ゲート
Amer Road
ホールケ
ハヌマンジー寺院
ゴーヴィンド
デーオ寺院
Jamwa Ramgarh Road
シティ
パレス
ジャンタル
マンタル
Choti
Chaupar
Chand
Pole
ハワマハル
(風の宮殿)
Dayanand Marg
Ramganj Bazar
Badi
Chopar
Surjpol Bazar
ガルタジー
Kishanpol Bazar
Chaura Resta
ピンクシティ
(旧市街)
スーラジ
ゲート
ガルタジー
0km
Mirza Ismail Road
5km

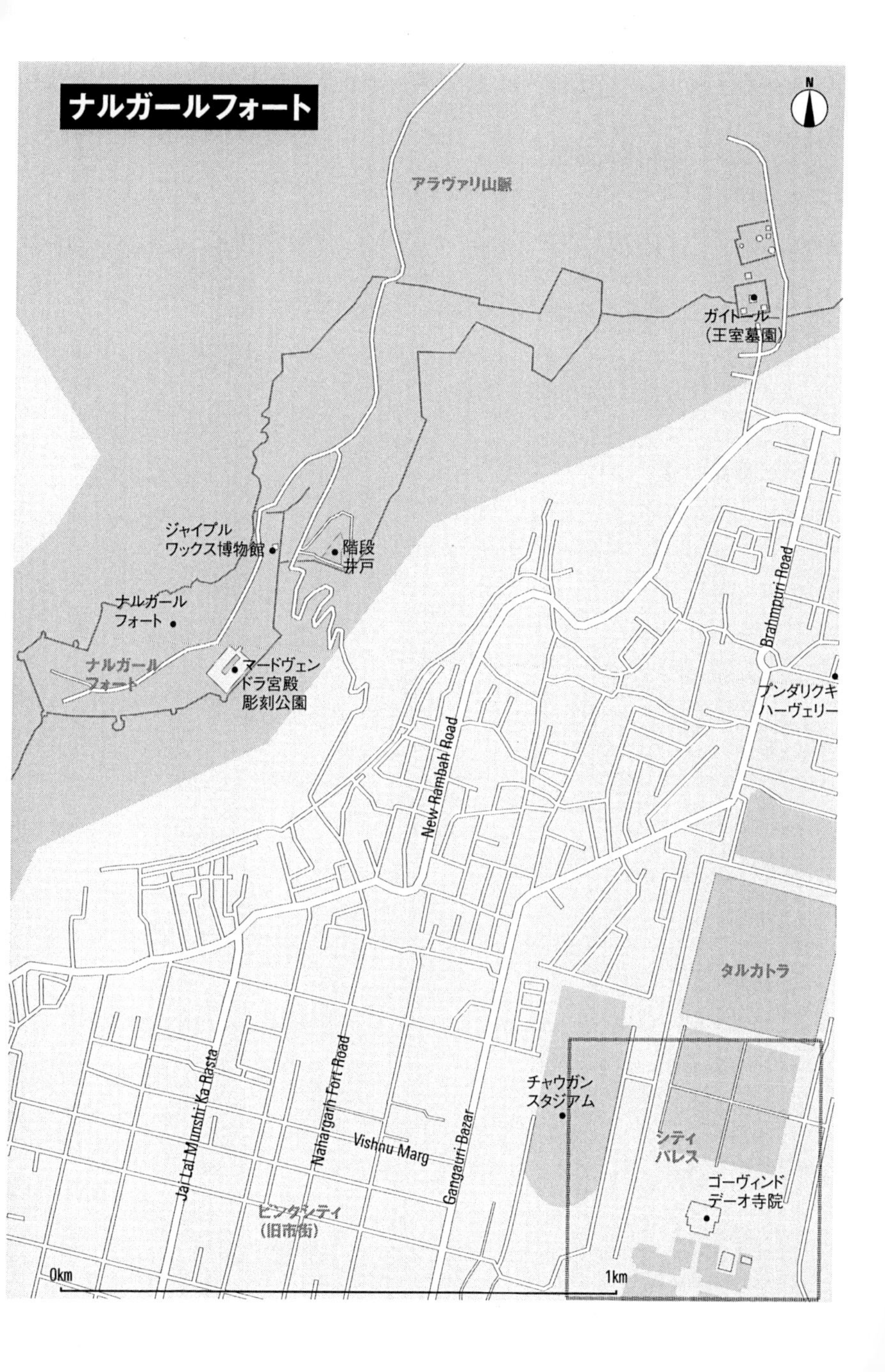
ナルガールフォート
N
アラヴァリ山脈
ガイトール
(王室墓園)
ジャイプル
ワックス博物館
階段
井戸
ナルガール
フォート
ナルガール
フォート
マードヴェン
ドラ宮殿
彫刻公園
Brahmpuri Road
プンダリクキ
ハーヴェリー
New Rambah Road
タルカトラ
チャウガン
スタジアム
シティ
パレス
ゴーヴィンド
デーオ寺院
Jai Lal Munshi Ka Rasta
Nahargarh Fort Road
Vishnu Marg
Gangauri Bazar
ピンクシティ
(旧市街)
0km
1km

画で彩られている。高さ213mの地点に立つ。

ジャイプル蝋人形館 ★☆☆

Jaipur Wax Museum　㋪जयपुर वैक्स म्यूजियम ／㋒جے پور موم میوزیم

ナルガール・フォートに立つジャイプル蝋人形館(ジャイプル・ワックス博物館)。ジャイプルを築いたジャイ・シン2世はじめ、俳優アミターブ・バッチャン、バガット・シン、タゴール、アインシュタイン、マイケル・ジャクソンなどの30以上の蝋人形が展示されている。

彫刻公園 ★☆☆

Sculpture Park／㋪स्कल्पचर पार्क　㋒اسکلپچر پارک

ジャイプル市街を一望できるナルガール・フォートに

★★★

シティ・パレス *City Palace*
ジャンタル・マンタル *Jantar Mantar*
ハワ・マハル(風の宮殿) *Hawa Mahal*
ピンク・シティ(ジャイプル旧市街) *Pink City*
アンベール・フォート *Amber Fort*

★★☆

ナルガール・フォート *Nahargarh Fort*
ガイトール(王室墓園) *Royal Chatris (Gaitor)*
ジャル・マハル(水の宮殿) *Jal Mahal*
アンベール *Amber*
ガルタジー *Galta Ji*
M・I・ロード *Mirza Ismail Road*
バリー・チョウパル *Badi Chaupar*
ゴーヴィンド・デーオ寺院 *Govindji Mandir*
ジャイガル・フォート *Jaigarh Fort*

★☆☆

マードヴェンドラ宮殿 *Madhvendra Palace*
ジャイプル・ワックス博物館 *Jaipur Wax Museum*
彫刻公園 *Sculpture Park*
プンダリク・キ・ハーヴェリー *Pundarik Ki Haveli*
ガネーシャ寺院 *Garh Ganesh Mandir*
マハラニ・キ・チャトリ *Maharani Ki Chhatri*
カナック・ブリンダーバン *Kanak Vrindavan*
ジャイプル・ハート *Jaipur Haat*
ホール・ケ・ハヌマンジー寺院 *Khole Ke Hanuman Ji Mandir*
タル・カトラ *Tal Katora*
チャウガン・スタジアム *Chaugan Stadium*

マハラジャの一族がここに眠る、王室墓園ガイトール

位置する彫刻公園。現代アートの作品が展示されている。

プンダリク・キ・ハーヴェリー ★☆☆

Pundarik Ki Haveli／Ⓗ पुंडरीक की हवेली　Ⓤ پنڈرک کی حویلی

ジャイプル市街北側のプンダリクは、高級官吏や学者などが暮らす地域だった。プンダリク・キ・ハーヴェリーは、ジャイ・シン2世（1686〜1743年）に仕えたラトナカル・バットが暮らしたハーヴェリー。マハラシュトラ出身だったが、その高度な天文学の知識がバラナシでマハラジャに見初められ、ジャイプルに移住した。天井を飾る18世紀の見事なフレスコ画が残っている。

ガイトール（王室墓園） ★★☆

Royal Chatris（Gaitor）　Ⓗ गैटोर　Ⓤ شاہی مقبرہ

アラヴァリ山脈の丘陵上、北側から街を守るように位置するジャイプル王家のガイトール（王室墓園）。ラージプート様式の装飾的なドーム、白大理石で開放的なチャトリ（慰霊碑）が見られ、ピンク・シティを造営したジャイ・シン2世の墓をはじめ、カッチワーハ王族の墓がならぶほか、黄砂岩の丘には火葬場も残る（ジャイ・シン2世のものは20本の柱をもつもっとも豪華なもの）。もともとヒンドゥー教徒には墓を建てるという習慣はないが、イスラム教徒であるムガル帝国の影響からこのような墓がつくられるようになった。「メモリアル・オブ・キング（王たちの記念碑）」とも呼ばれ、北西の「メモリアル・オブ・クイーンズ（王妃たちの記念碑）」ことマハラニ・キ・チャットリと対置される。

ガネーシャ寺院 ★☆☆

Garh Ganesh Mandir／Ⓗ गढ़ गणेश मंदिर ／Ⓤ گڑھ گنیش مندر

ガイトールから丘陵へ続く道をのぼった頂上に立つガネーシャ寺院。象頭神ガネーシャがまつられていて、ここからジャイプル市街を見渡すことができる。

ジャイプル王族の女性が眠るマハラニ・キ・チャトリ

演奏するラジャスタンの楽師

壁に描かれた模様

旅行者向けに整備されたジャイプル・ハート

マハラニ・キ・チャトリ ★☆☆

Maharani Ki Chhatri　Ⓗ महारानी की छतरी　Ⓤ مہارانی کی چھتری

　ジャイプル王家の女性のための火葬場を兼ねた霊廟群のマハラニ・キ・チャトリ（王妃のチャトリ）。ジャイプルまで運ばれた大理石、またこの地の石を素材としたラージプート建築のチャトリ（慰霊碑）がならぶ。ラジャスタンでは女性は人前に出ない女性隔離パルダなどの慣習が色濃く、王妃が王より先になくなった場合のみ屋根つきのチャトリ（慰霊碑）をつくる。そして王妃が王よりも長く生きた場合は未完成のままにするという。王たちの眠るメモリアル・オブ・キング（ガイトール）に対して、メモリアル・オブ・クイーンズとも呼ぶ。

ジャル・マハル（水の宮殿） ★★☆

Jal Mahal／Ⓗ जल महल／Ⓤ جل محل

　ジャイプルとアンベール・フォートを結ぶアンベール・ロード沿いのマン・サーガル湖に浮かぶように立つジャル・マハル（水の宮殿）。18世紀のなかごろマハラジャ・マドー・シン1世が建てた宮殿で、マハラジャが少年時代を過ごしたウダイプルの宮殿（レイク・パレス）をもとにしているという。ここはマハラジャが狩猟を行なうときの離宮として利用され、遠くからは1階建てに見えるが、なかには4つの階層をもつラージプート様式の建築となっている。外壁には水の侵入を防ぐために石灰モルタルが塗られていて、18世紀より水の侵入を防いできた。マン・サーガル湖は、ジャイプル市街へ水を供給する水源（貯水池）の役割を果たしてきた。

カナック・ブリンダーバン ★☆☆

Kanak Vrindavan　Ⓗ कनक वृन्दावन／Ⓤ کانک ورنداون

　マン・サーガル湖の北側に残るヒンドゥー寺院、庭園、宮殿が一体となった複合施設のカナック・ブリンダーバン。ジャイプル王家の守護神である牛飼いクリシュナ（ゴーヴィンド・デーオ）神がまつられていて、現在のゴーヴィンド・デーオ寺院にクリシュナ像が安置される以前、像はこの地にあった（イスラム教徒のムガル帝国アウラングゼーブ帝の迫害から逃れるため、クリシュナ神の聖地ブリンダーバンより、ゴーヴィンド・デーオ像はジャイプルに遷された）。カナック・ブリンダーバンとは「黄金のブリンダーバン」を意味し、彫刻が施されたラージプート様式の寺院が残る。

ジャイプル・ハート ★☆☆

Jaipur Haat ／ Ⓗ जयपुर हाट ／ Ⓤ جے پور ہاٹ

ジャル・マハル（水の宮殿）のそばにもうけられたジャイプル・ハート（「ハート」とは北インド農村部で開かれてきた市場を意味する）。ジャイプルの伝統的なバザール、フードコートが整備されている。ジャイプルの料理や軽食、香辛料のほか、宝石、金銀細工、手織り機、ブロック・プリント、刺繍などの手工芸品がならぶ。

湖にその姿を映す水の宮殿ジャル・マハル

गणेश धाम

Amber Fort

アンベールフォート 鑑賞案内

**ピンク・シティ北郊外に残るアンベール・フォート
世界遺産にも指定されている
ラジャスタンの丘陵城塞群のひとつ**

アンベール・フォート★★★

Amber Fort／ⓗआमेर दुर्ग(आमेर महल)／ⓤعامر قلعہ

ジャイプルの北11km、アラヴァリ山脈の地形を利用して建てられたアンベール・フォート。淡い黄色（琥珀色）と赤砂岩、白大理石でつくられたムガル様式とヒンドゥー様式を折衷した宮殿複合体で、1727年のジャイプル遷都以前のカッチワーハ王家の宮殿がここにおかれていた（それ以後も、離宮として特別な場所だったところで、今なお美しい姿をとどめている）。この地には古くから土着のミーナ族の小さな山城があり、1037年にカッチワーハ族がそれを奪って根拠地とした。その後、カッチワーハ族（ジャイプル王家）はムガル帝国（1526～1857年）と同盟を結ぶことで北インドで存在感を増し、1592年、ミルザ・ラジャ・マン・シン1世（在位1589～1614年）がこのアンベール・フォートの建設をはじめた。マン・シン1世は、ムガル王族と血縁関係を結び、アクバル帝の将軍として各地に遠征し、ムガル宮廷の「9つの宝石」のひとりにあげられるほどだった。このマン・シン1世が亡くなったとき、妃のうち60人がサティ（寡婦焚死）を行なったという。やがてアンベール・フォートはミルザ・ラジャ・ジャイ・シン1世（在位1621～67年）の時代に完成し、古代ラージプート様式の建築を今に伝える（このジャイ・シン1世の名前を受け継いだのが、1727年に丘陵から平地に降り、ジャイプルを造営

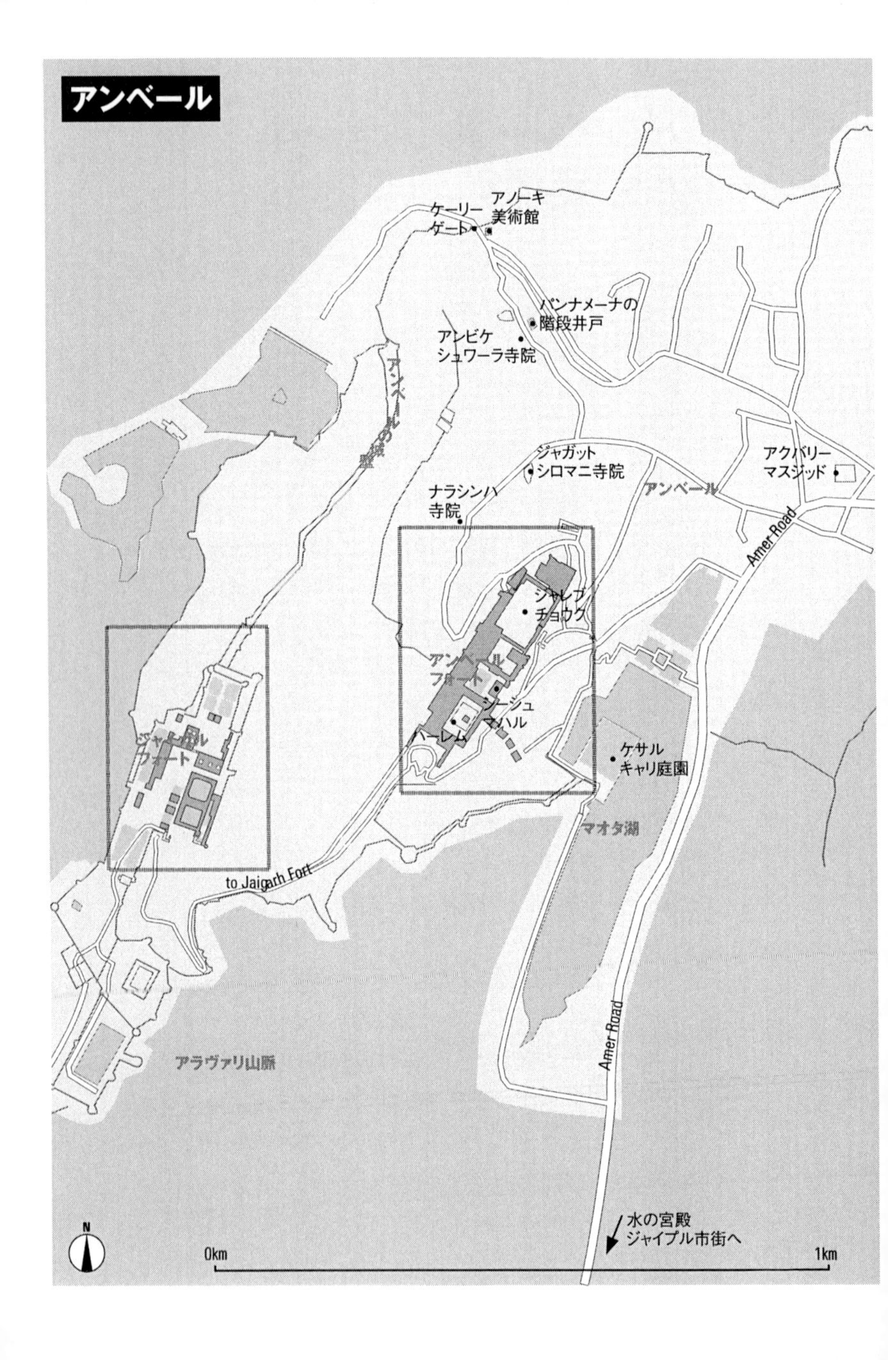

アンベール
ケーリー
ゲート
アノーキ
美術館
パンナメーナの
階段井戸
アンビケ
シュワーラ寺院
ジャガット
シロマニ寺院
アクバリー
マスジッド
アンベール
ナラシンハ
寺院
Amer Road
ジャレブ
チョウク
シーシュ
マハル
ハーレム
ケサル
キャリ庭園
マオタ湖
to Jaigarh Fort
アラヴァリ山脈
Amer Road
水の宮殿
ジャイプル市街へ
N
0km
1km

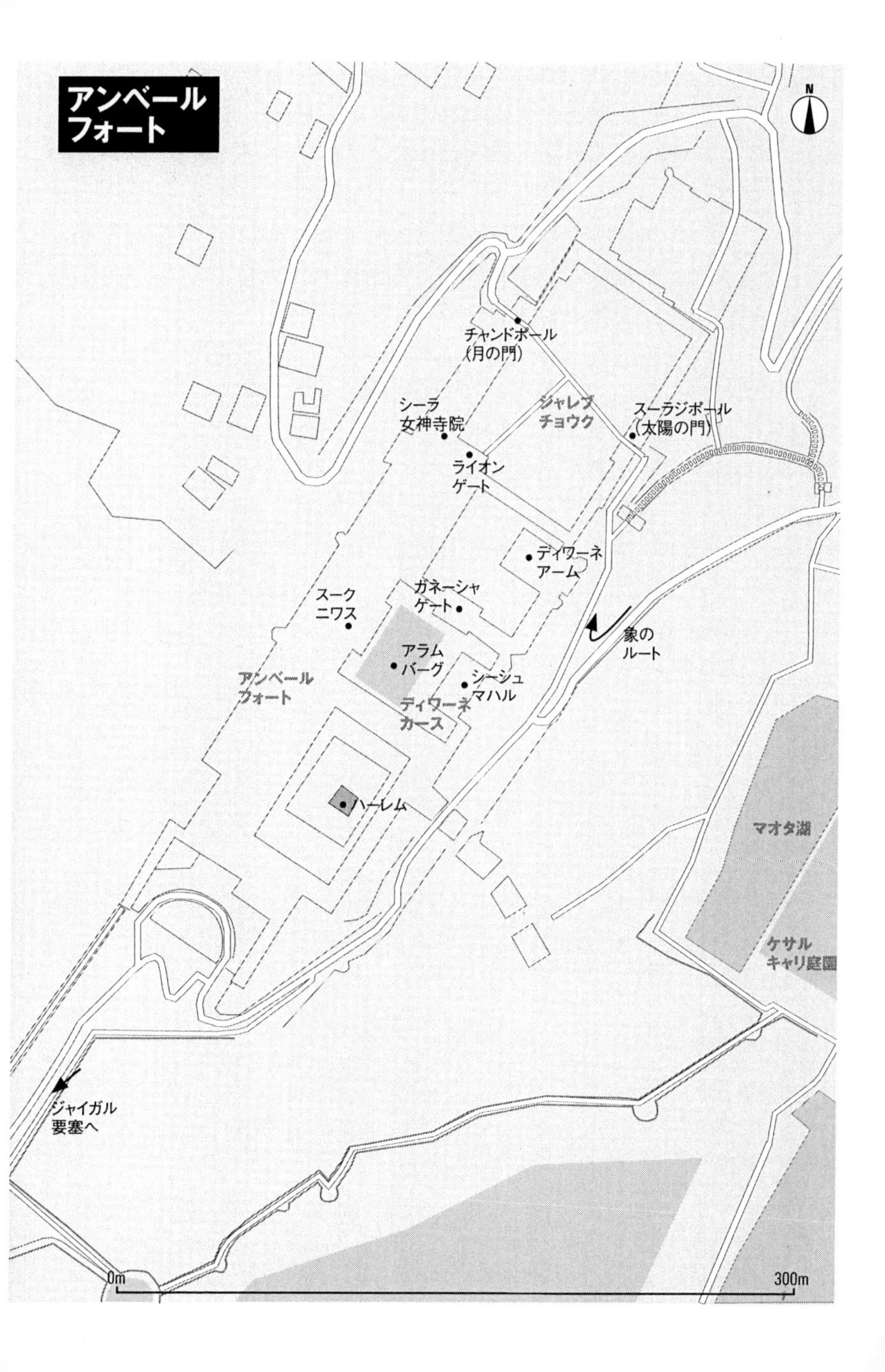

アンベール
フォート
N
チャンドポール
（月の門）
シーラ
女神寺院
ジャレブ
チョウク
スーラジポール
（太陽の門）
ライオン
ゲート
ディワーネ
アーム
スーク
ニワス
ガネーシャ
ゲート
象の
ルート
アラム
バーグ
シーシュ
マハル
アンベール
フォート
ディワーネ
カース
ハーレム
マオタ湖
ケサル
キャリ庭園
ジャイガル
要塞へ
0m
300m

したジャイ・シン2世)。敵襲を防ぐための城壁がアンベール・フォートからアンベールの街を守るように伸びているほか、地下道が掘られていて、万が一のときも逃げ出すことができたという。中世、ラージプート諸族はラジャスタン各地に丘陵城塞を築いていき、このアンベール・フォートはチットールガルやジャイサルメールのものとならんで、「ラジャスタンの丘陵城塞群」として世界遺産に登録されている。アンバー・パレス、アンバー・フォート、アメル・パレス、アメル・フォートなどの名前でも呼ばれる。

ムガルとラージプートの婚姻

中央アジアからの征服王朝であるムガル帝国(1526〜1857年)がインドの覇権をにぎるにあたって、武勇に優れた北西インドのラージプート諸族の協力はかかせなかっ

★★★

アンベール・フォート *Amber Fort*

★★☆

ライオン・ゲート *Singh Pol*
ガネーシャ・ゲート *Ganesh Pol*
ディワーネ・カース *Diwan-e Khas*
シーシュ・マハル(鏡の回廊) *Sheesh Mahal*
ジャイガル・フォート *Jaigarh Fort*
アンベール *Amber*
パンナ・メーナの階段井戸 *Panna Meena Ka Kund*
ジャガット・シロマニ寺院 *Jagat Shiromani Mandir*

★☆☆

ジャレブ・チョウク *Jaleb Chowk*
シーラ女神寺院 *Shila Devi Mandir*
ディワーネ・アーム *Diwan-e-Aam*
アラム・バーグ *Aram Bagh*
スーク・ニワス *Sukh Niwas (Sukh Mandir)*
ハーレム *Harem*
マオタ湖 *Maota Sarover*
ケサル・キャリ庭園 *Kesar Kyari Bagh*
アンビケシュワーラ寺院 *Ambikeshwar Mahadev Mandir*
アノーキ美術館 *Anokhi Museum*
ケーリー・ゲート *Kheri Gate*
ナラシンハ寺院 *Narsingh Devji Mandir*
アクバリー・マスジッド *Akbari Masjid*

美しい装飾が見られるガネーシャ・ゲート

象のタクシーが往来する

鏡で彩られた間シーシュ・マハル

丘陵にそびえるアンベール・フォートの遠景

た。1526年、ムガル帝国第3代アクバル帝(1542～1605年)はチェスティー廟への参詣途上で、アンベールの王ビハーリー・マルから出迎えと臣従の誓いを受け、その長女がアクバル帝に嫁ぐことになった。ふたりの結婚式はここアンベールでとり行なわれ、その子サリームは後に第4代ジャハンギール帝として即位し、そのジャハンギール帝もアンベールの王バグワーン・ダースの娘マン・バーイと結婚した。アンベール(ジャイプル)のカッチワーハ氏族は、それまで無名であったが、ムガル帝国はラージプート諸族のなかで最初の同盟者となったアンベール王家に手厚い報酬と地位をあたえ、ムガルとラージプートの協力関係をもとに帝国は繁栄をきわめていった。アンベール・フォートはムガルとラージプート両王家の融合を示すようにイスラムとヒンドゥーの折衷様式となっている。

ジャレブ・チョウク ★☆☆

Jaleb Chowk／ⓗजलेब चौक／ⓤجلیب چوک

山麓からアンベール・フォートへ石畳の小道を登っていく象が到着するジャレブ・チョウク(象の顔は化粧されている)。中庭式のチョウクには、東のスラージ・ポル(太陽門)と西のチャンド・ポル(月門)があり、東側が正門となっている。アンベール・フォートの前庭にあたり、アンベール王がここで閲兵を行なった。

ライオン・ゲート ★★☆

Singh Pol ⓗसिंह पोल／ⓤسنگھ پول

ジャレブ・チョウクに面し、アンベール・フォートの宮殿地区への入口となっているライオン・ゲート。「ライオン＝獅子」を意味するシン・ポル(獅子の門)ともいい、アーチ型のイワンをもつ琥珀色の門には装飾がほどこされている。やや細くなった階段をのぼると、視界が開け、そばにはマハラジャが朝賀を受ける場であったディワーネ・

アームが立つ。

シーラ女神寺院 ★☆☆

Shila Devi Mandir／ⓗ शिला देवी मंदिर　ⓤ شیلا دیوی مندر

ライオン門のそばに立つ小さなヒンドゥー寺院のシーラ女神寺院。アクバル帝の将軍として各地へ遠征していたマン・シン1世が、1604年、ベンガル地方ジェソールのラジャを倒したとき、その地で信仰されていたカーリー女神（シーラ女神）を招来したもので、王はこの女神を守護女神とした（カーリー女神＝ドゥルガー女神は、ベンガル地方の土着神で恐ろしい性格として畏怖の対象となっていた）。銀の装飾扉は1939年、マハラジャの2番目の妻によるもの。

ディワーネ・アーム ★☆☆

Diwan-e-Aam　ⓗ दीवान-ए-आम　ⓤ دیوان عام

アンベール・フォートの前方部に立つ宮殿ディワーネ・アーム（公的謁見殿）。1631～40年のあいだにミルザ・ラジャ・ジャイ・シン1世（在位1621～67年）によって建てられたもので、ここでアンベール市民の声に耳をかたむけた。装飾された40本の柱が連なるホールは、外部へ開放的な空間となっている。ムガル帝国の都ファテープル・シークリーのディワーネ・アーム（公的謁見殿）とも建築様式上の親和性は高い。

ガネーシャ・ゲート ★★☆

Ganesh Pol　ⓗ गणेश पोल　／ⓤ گنیش پول

宮殿内部へ通じ、富をつかさどる象頭神ガネーシャが冠されたガネーシャ・ゲート（ガネーシャ・ポル）。1611～67年につくられた門の壁面はあざやかな装飾で彩られ、ラジャスタンを代表する門のひとつにあげられる（ムガル帝国に敬意を表するように、門の下部がイスラムのイワン様式、上部がヒンドゥー教のチャトリ様式）。戦いに勝利したアンベール王を歓

アンベール・フォートは世界遺産のラジャスタンの丘陵城塞群のひとつ

アンベール・フォートの最奥部に位置するハーレム

ムガル庭園を模したアラム・バーグ

ジャイガル・フォートが見える

迎する門でもあり、これより奥はマハラジャとその一族、貴賓のみが入場を許された。長いアーチの中央にガネーシャ神の横顔が配置されている。

ディワーネ・カース ★★☆

Diwan-e Khas／ⓗ दीवान-ए-खास ／ⓤ دیوان خاص

ガネーシャ門の背後がディワーネ・カース(貴賓謁見殿)で、4分割されたムガル式庭園の中庭チャハール・バーグを中心に宮殿群が展開する。1639年にジャイ・シン1世(在位1621〜67年)によって建てられた宮殿で、マハラジャが政務を行なうなどアンベール・フォートの中枢機能を果たしていた。1階のディワーネ・カース(個人の聴衆のホール)、ディワーネ・カースに隣接するシーシュ・マハル(ガラスの宮殿)、上の階のジャス・マンディール(栄光のホール)などからなり、「勝利の間」を意味するジャイ・マンディルともいう。

シーシュ・マハル(鏡の回廊) ★★☆

Sheesh Mahal／ⓗ शीश महल ／ⓤ شیش محل

アンベール・フォートでもっとも美しい宮殿と言われるシーシュ・マハル(鏡の回廊)。ホールの壁や天井はガラスや鏡の美しいモザイク画や花で彩られている。ラージプート王女は、パルダ(女性隔離)の考えから宮殿の外で寝ることは許されていなかったが、宮殿内でも星が輝くのを見られるようにとシーシュ・マハル(鏡の回廊)がつくられた。この宮殿で、2つのキャンドルを燃やすと、周囲の鏡の反射で千の星がきらめくように見えるという。

アラム・バーグ ★☆☆

Aram Bagh／ⓗ आराम बाग ⓤ ارم باغ

貴賓謁見殿ディワーネ・カースの中庭にあたるアラム・バーグ(シーシュ・マハルとスーク・ニワスのあいだ)。ムガル様式の

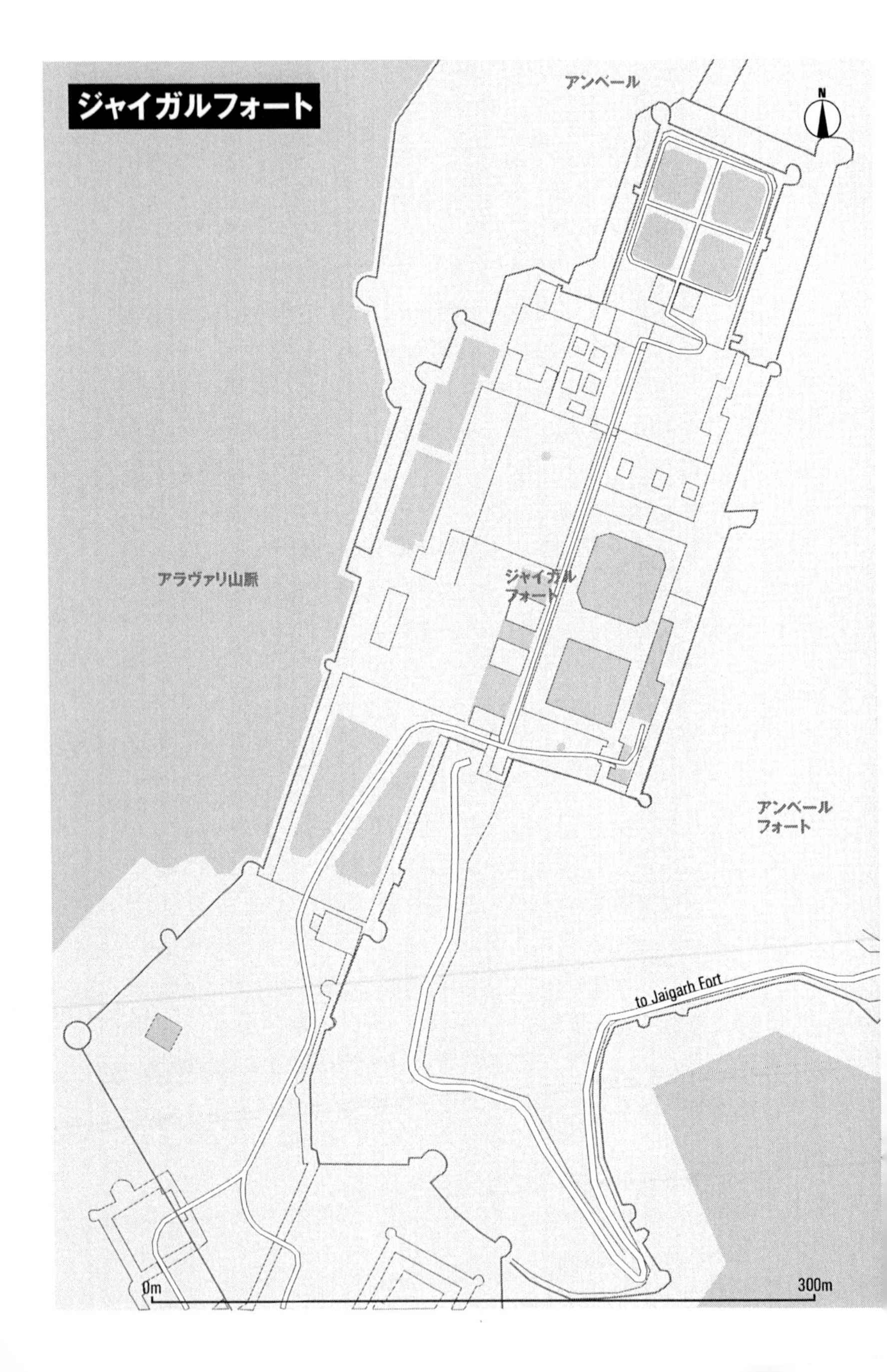
ジャイガルフォート
アンベール
N
アラヴァリ山脈
ジャイガル
フォート
アンベール
フォート
to Jaigarh Fort
0m
300m

四分割庭園で、水路が縦横に走り、楽園がイメージされている。

スーク・ニワス ★☆☆

Sukh Niwas（Sukh Mandir） Ⓗसुख निवास Ⓤسکھ نواس

シーシュ・マハル（鏡の回廊）の反対側に立つ宮殿スーク・ニワス。喜びの間とも言われ、宮廷に暮らす王女たちがここで過ごした。中庭から水路が伸び、心地よいそよ風が吹くように設計されている。

ハーレム ★☆☆

Harem Ⓗहरेम Ⓤحرم

アンベール・フォートの最奥部に位置する王室女性の住居ハーレム。王妃や宮女たちが暮らした場所で、外の世界と遮断された女性たちの世界がここにあった（ラージプート王族の女性は、女性隔離パルダによって外の世界に出ることがほとんどなかった）。

マオタ湖 ★☆☆

Maota Sarover／Ⓗमोठा सरोवर／Ⓤماوٹا جھیل

アンベール・フォートの水源で、この城の美しさを際立たせているマオタ湖（マオタ・サーガル）。マオタとは「湖」のこと。アンベールでは水不足の問題がしばしば起こり、マオタ湖はこの宮殿の貴重な水源となっていた。

ケサル・キャリ庭園 ★☆☆

Kesar Kyari Bagh／Ⓗ केसर क्यारी बाग　Ⓤ کیسر کیاری باغ

マオタ湖に浮かぶように広がるケサル・キャリ庭園。サフランの花壇を意味するこの庭園は階段状に3つの階層をもち、そこに彩られたさまざまな文様が際立っている。

ジャイガル・フォート ★★☆

Jaigarh Fort　Ⓗ जयगढ़ दुर्ग(जयगढ़ फोर्ट)／Ⓤ جے گڑھ قلعہ

アンベール・フォートの立つ丘の斜面から山道が伸び、山頂部にまたがるように立つジャイガル・フォート。この要塞の歴史は11世紀にさかのぼるというが、現在残る宮殿はマン・シン1世とその後のジャイ・シン2世（1686～1743年）時代のもの。アンベール・フォートの北端から周囲を見下ろすようにそびえ、砦の南端には「世界最大の大砲」として知られた車輪つきの大砲ジャイバンがおかれている（砦の南端はジャイガル・フォートでも古い場所）。アンベール・フォートとは地下トンネルで結ばれているほか、南のナルガール・フォートと丘の尾根を通じてつながっている。これら要塞群が相互に働きあうことでジャイプルの防御態勢となっていた。現在は博物館として整備され、武器類の展示が見られる。

125
122

Amber

アンベール城市案内

アンベールはカッチワーハ族の故地とも言える
古いヒンドゥー寺院や階段井戸など
ひっそりとした暮らしのなかにも古都の面影が残る

アンベール ★★☆

Amber ㊏ आमेर ／㋒ آمیر

1727年にジャイプルに遷都される以前のカッチワーハ族(ジャイプル王家)の都がおかれていたアンベール。古くは土着のミーナ族が暮らしていたこの地を1037年にラージプートのカッチワーハ族が奪って、根拠地とした。琥珀色のアラヴァリ山脈に抱かれるように展開し、このアンベール・フォートの城下町にはヒンドゥー寺院や階段井戸が残っている。街は周囲に城壁をめぐらせた面積4平方キロメートルの規模で、山の稜線上に長城のような城壁が続いていく(アンベール・フォートをジャイプル宮殿地区とすれば、アンベールの街はピンク・シティに対応する)。アンベールという名前は、「アンビケシュワーラ寺院」からとられたとも、「世界の守護者(アンバ)」からとられたともいう。もともとアンビケシュワラと呼ばれていたが、のちにアンベール(アメル)と簡略化された。

アンビケシュワーラ寺院 ★☆☆

Ambikeshwar Mahadev Mandir／㊏ अम्बिकेश्वर महादेव मंदिर ／
㋒ امبکیشور مہادیو مندر

神話時代に創建をさかのぼるというアンベール(ジャイプル)でもっとも古いアンビケシュワーラ寺院。あるとき

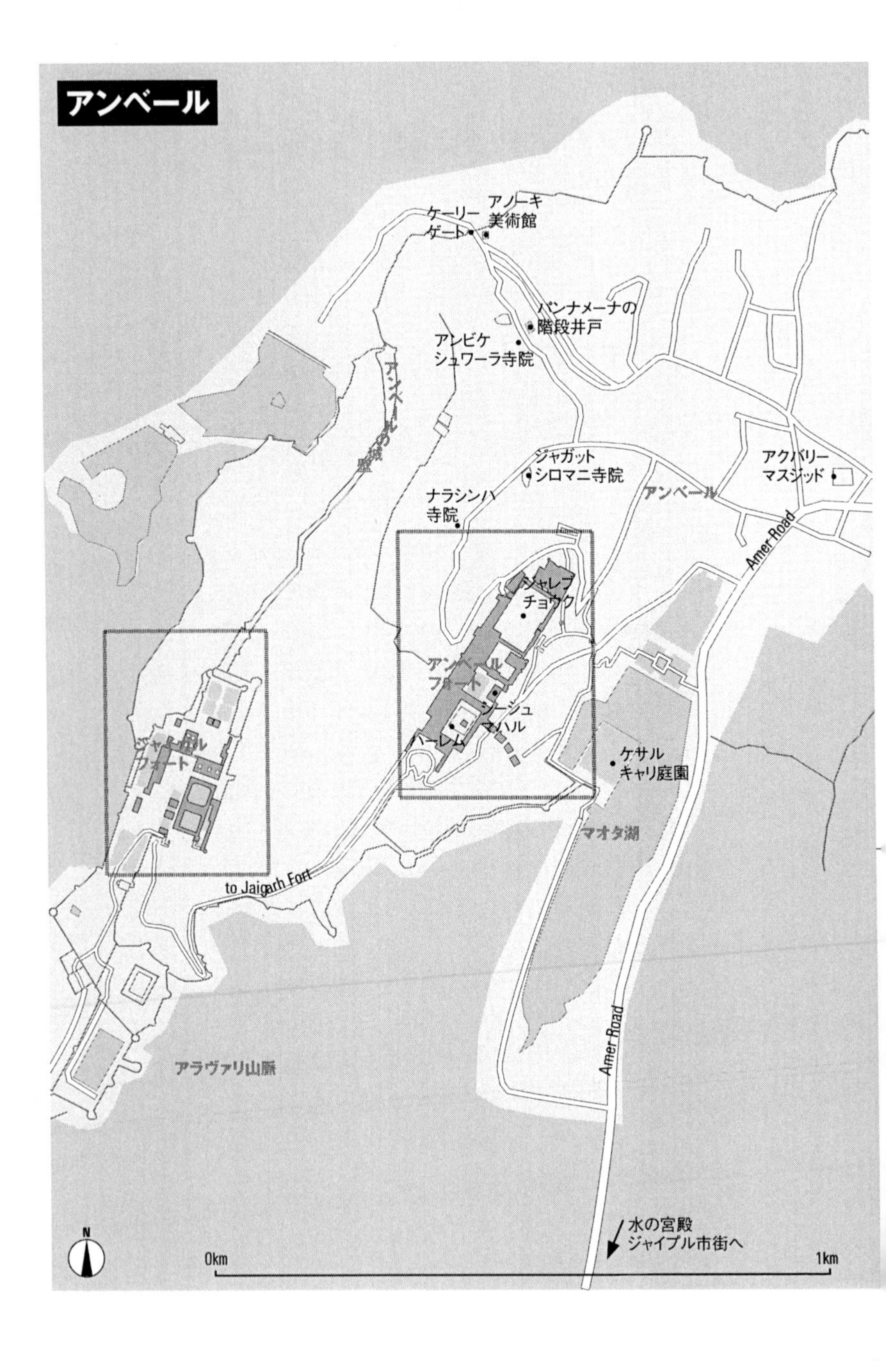

アンベール
アノーキ
美術館
ケーリー
ゲート
パンナメーナの
階段井戸
アンビケ
シュワーラ寺院
ジャガット
シロマニ寺院
アクバリー
マスジッド
アンベール
ナラシンハ
寺院
Amer Road
ジャレブ
チョウク
アンベール
フォート
シーシュ
マハル
ハーレム
ケサル
キャリ庭園
マオタ湖
to Jaigarh Fort
アラヴァリ山脈
Amer Road
水の宮殿
ジャイプル市街へ
N
0km
1km

ミーナ族の王アンビカは、牛が「ある場所」でしかミルクを出さないことに気がつき、その場所を掘ってみたところ、シヴァ・リンガ(シヴァ神)が発見された。そこでこのアンビケシュワーラ寺院を建立して、シヴァ・リンガを安置し、この寺院名がアンベールの街名にもなったという。ヴィシュヌ派の強いジャイプルにあって、シヴァ派の寺院でシカラ屋根をもつヒンドゥー寺院となっている。

パンナ・メーナの階段井戸 ★★☆

Panna Meena Ka Kund ／Ⓗ पन्ना मीणा का कुंड ／Ⓤ پنا مینا کا کنڈ

アンベール・フォートの北側に残るパンナ・メーナの階段井戸。16世紀のラジャ・ジャイ・シン1世の時代に官吏パンナ・メーナによって造営されたもので、その後、長らく使われることになった。正方形のプランをもつ井戸には、どの高さの水位でも水が運べるように上部から下部へ向かって小さな階段が連続している。それら小さな階段が規則的に連続して、幾何学模様をつくり、美しい建築芸術をつくっている。もともとアンベールでは水不足に悩むことが多く(それがジャイプルへの遷都理由となった)、「バオリ」と呼ばれる階段井戸が多く掘られてきた。

★★★

アンベール・フォート *Amber Fort*

★★☆

アンベール *Amber*
パンナ・メーナの階段井戸 *Panna Meena Ka Kund*
ジャガット・シロマニ寺院 *Jagat Shiromani Mandir*
シーシュ・マハル(鏡の回廊) *Sheesh Mahal*
ジャイガル・フォート *Jaigarh Fort*

★☆☆

アンビケシュワーラ寺院 *Ambikeshwar Mahadev Mandir*
アノーキ美術館 *Anokhi Museum*
ケーリー・ゲート *Kheri Gate*
ナラシンハ寺院 *Narsingh Devji Mandir*
アクバリー・マスジッド *Akbari Masjid*
ジャレブ・チョウク *Jaleb Chowk*
ハーレム *Harem*
マオタ湖 *Maota Sarover*
ケサル・キャリ庭園 *Kesar Kyari Bagh*

アノーキ美術館 ★☆☆

Anokhi Museum／ⓗअनोखी संग्रहालय　ⓤانوکھی میوزیم

ジャイプルに拠点をおくファッション・ブランドのアノーキが運営する美術館。ケーリー・ゲート近く、石畳の通り沿いに立つハーヴェリーを利用して開館していて、ブロック・プリントの道具、テキスタイル、絵画などの展示が見られる。

ケーリー・ゲート ★☆☆

Kheri Gate／ⓗखेरी गेट　ⓤکھیری گیٹ

アンベールの北門にあたり、アンベールの街でもっとも古い城門にあげられるケーリー・ゲート。アンベールの街は、もともと周囲を城壁に囲まれた城塞都市で、山の稜線に城壁が続いていく様子は長城を思わせる。

ジャガット・シロマニ寺院 ★★☆

Jagat Shiromani Mandir／ⓗजगत शिरोमणि मंदिर ／ⓤجگت شرومنی مندر

アンベールでも有数の古刹でクリシュナ神、ヴィシュヌ神、ミーラーバーイをまつるジャガット・シロマニ寺院。1599～1608年ごろ、マン・シン1世（在位1589～1614年）のカナクワティ王妃が夭逝した息子ジャガット・シンのために建てたという。ミーラーバーイはクリシュナの妻にして、メワール＝ウダイプル王の妻でもあり、彫像はメワールから招来された。ふたつの塔が上部で結ばれた門が印象的で、精緻な装飾で彩られた建築は、ジャイナ、ヒンドゥー、ムガル、南インドの様式が融合している。「ヴィシュヌ神の頭の宝石」と呼ばれている。

ナラシンハ寺院 ★☆☆

Narsingh Devji Mandir／ⓗनृसिंह देव जी मंदिर　ⓤنرسنگھ دیو مندر

アンベール・フォートの北側に残るナラシンハ寺院。ここはジャイプル王家がアンベールに拠点を構える以前の

ハーヴェリーを改装したアノーキ美術館

アンベール王家、街の名前の由来となったアンビケシュワーラ寺院

小さな階段が連続するパンナ・メーナの階段井戸

アンベールもまた城壁都市だった、ケーリー・ゲート

ミーナ族の宮殿だった場所で、キング・ナラシンハ・デーヴァによる創建は15世紀にさかのぼる(ここで戴冠式などが行なわれていた)。現在はヴィシュヌ神の化身であるナラシンハがまつられている。

アクバリー・マスジッド ★☆☆

Akbari Masjid/Ⓗ अकबरी मस्जिद/Ⓤ اکبری مسجد

アンベールに残るイスラム教のアクバリー・マスジッド。1569年、カッチワーハ族(ジャイプル王家)と婚姻関係を結んだムガル帝国の第3代アクバル帝(1542～1605年)によって建てられた。アクバル帝はインドにおける最大のイスラム聖者チェスティーの眠るアジメールへの巡礼中にこの地にとどまって礼拝したと伝えられる。中央のドームを中心に、円形ドームが3つならび、建築隅にはミナレットがそびえている。

Sanganer

サンガネール城市案内

ジャイプル南郊外には空の玄関口空港が位置する
またサンガネールでは古くから染めものや
ブロックプリントなどの伝統産業が受け継がれてきた

ジャワハル・カラ・ケンドラ(JKK) ★☆☆

Jawahar Kala Kendra／Ⓗ जवाहर कला केन्द्र ／Ⓤ جواہر آرٹس سینٹر

ジャイプル南郊外に位置するアート・ミュージアムのジャワハル・カラ・ケンドラ(JKK)。「ジャワハル」はインド首相をつとめたジャワハルラール・ネール、「カラ・ケンドラ」はアートセンターを意味する。ジャイ・シン2世が築いた天文台ジャンタル・マンタルに対応するように、9つの惑星(ナヴァグラハ)をモチーフに設計された現代建築で、6つのギャラリーから構成される。インド人芸術家、学者、演劇人、音楽家がここに集まり、インドの文化や芸術の展示、保存がされている。1993年、インド人建築家のチャールズ・コレッタによる設計。

ワールド・トレード・パーク ★☆☆

World Trade Park／Ⓗ वर्ल्ड ट्रेड पार्क ／Ⓤ ورلڈ ٹریڈ پارک

ジャイプル市街南部に立つ巨大な複合商業施設のワールド・トレード・パーク(WTP)。オフィス、ショッピング・モール、ホテル、ギャラリー(展示場)などからなり、映画館、高級ブランドから生活雑貨まで、各種店舗が入居する。頂部が三角状のふたつずつの棟が南北に計4棟そびえ、壁面はカーテンウォールでおおわれている。そのあいだを中層の逆凹の字上の棟が立ち、これら建築群の前方には地

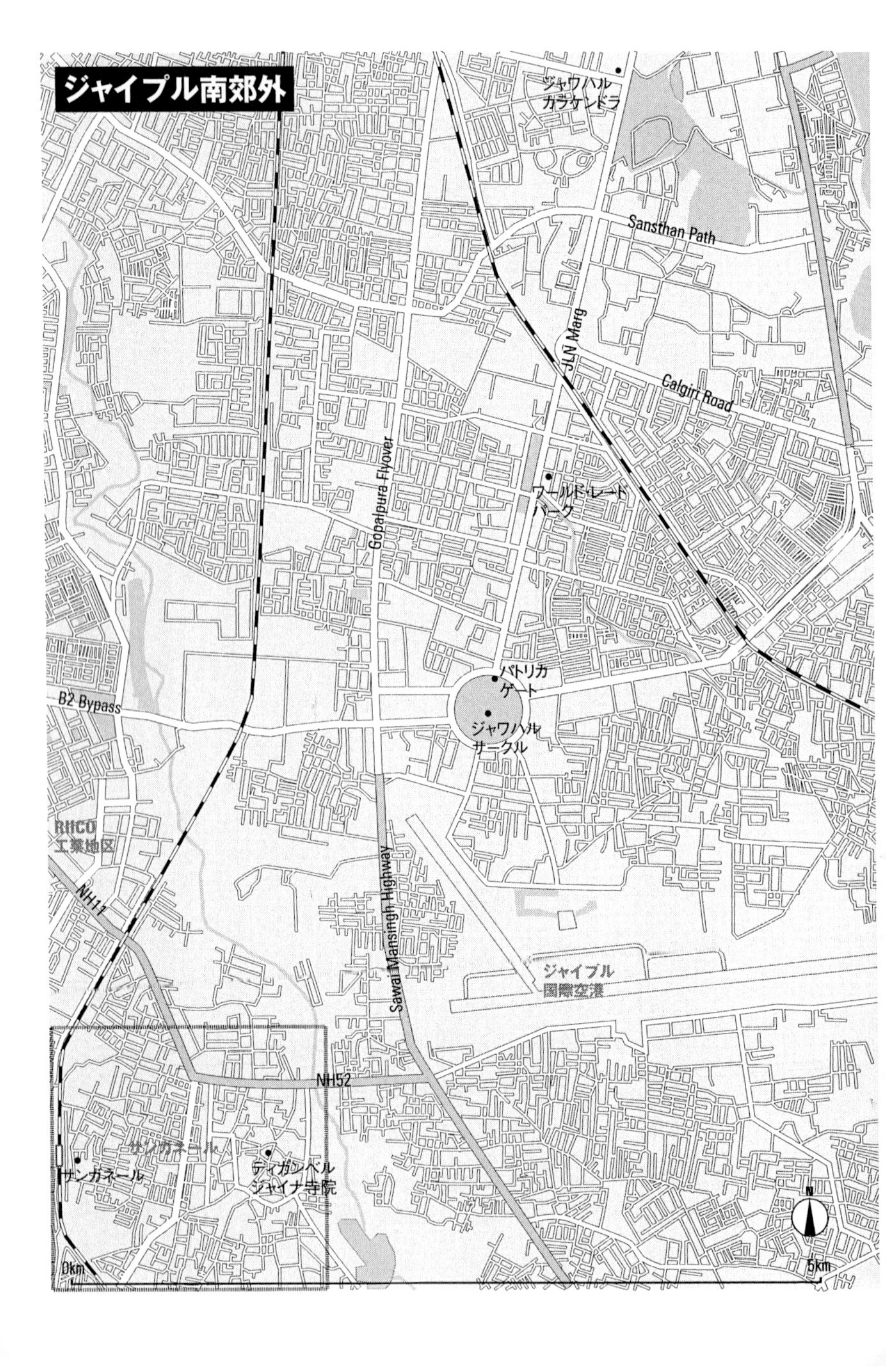

ジャイプル南郊外
ジャワハル
カラケンドラ
Sansthan Path
JLN Marg
Calgiri Road
Gopalpura Flyover
ワールドトレード
パーク
パトリカ
ゲート
ジャワハル
サークル
B2 Bypass
RIICO
工業地区
NH11
Sawai Mansingh Highway
ジャイプル
国際空港
NH52
サンガネール
サンガネール
ディガンベル
ジャイナ寺院
N
0km
5km

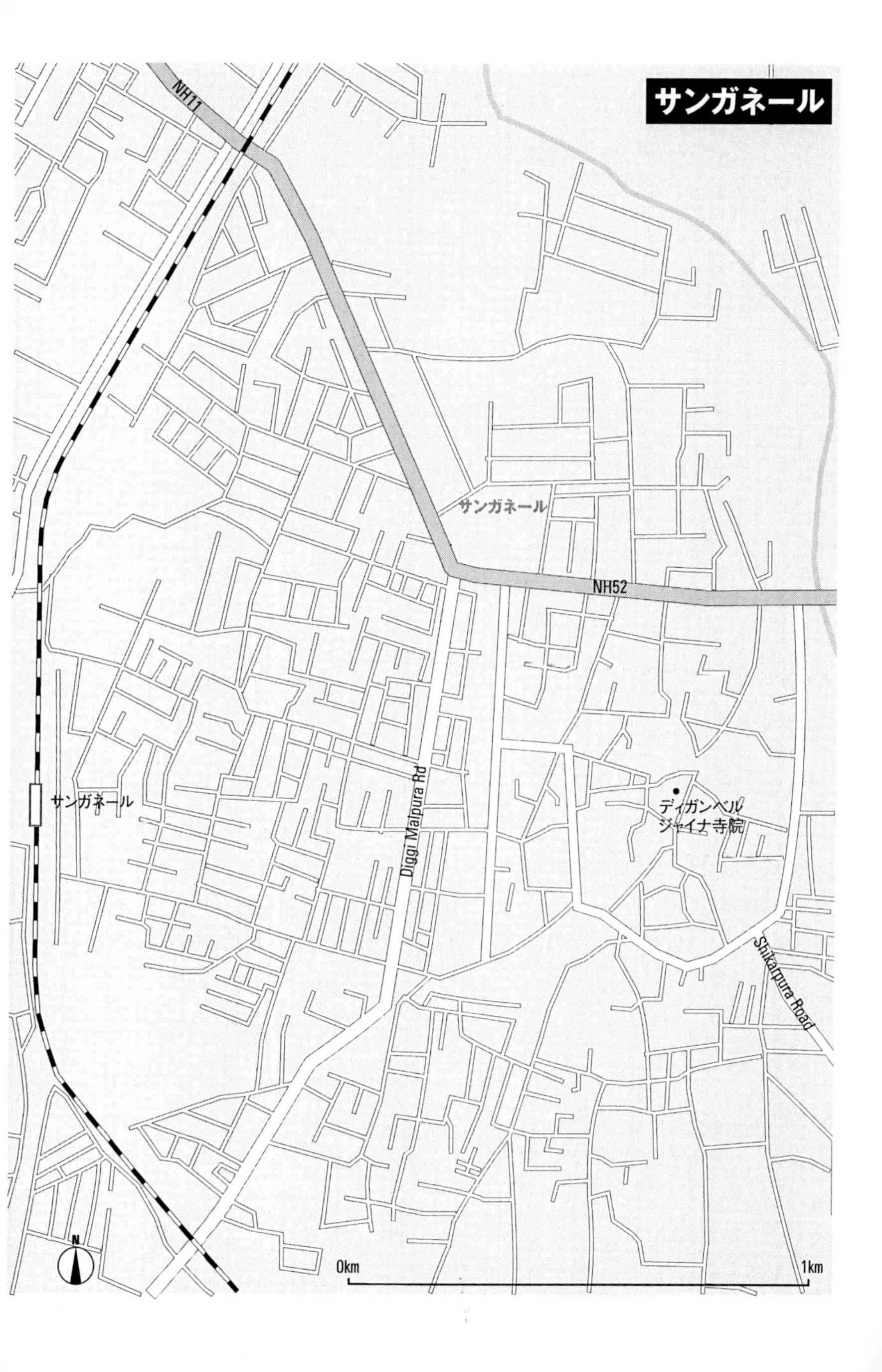
サンガネール
NH11
サンガネール
NH52
サンガネール
Diggi Malpura Rd
ディガンベル
ジャイナ寺院
Shikarpura Road
N
0km
1km

面から本体がもちあがった塔とモニュメントが立つ。

ジャワハル・サークル ★☆☆

Jawahar Circle ㋪जवाहर सर्किल ㋒جواہر سرکل

ジャイプル空港近くにつくられた直径485mの巨大な円形公園ジャワハル・サークル(ネール首相サークル)。パトリカ・ゲート、噴水、バラ園、ヒンドゥー寺院が集まり、市民の憩いの場となっている。ジャイプルに空路で訪れる者の玄関部となっている。

パトリカ・ゲート ★☆☆

Patrika Gate/㋪पत्रिका गेट /㋒پتریکا گیٹ

ジャイプル市街と空港を結ぶジャワハルラール・マルグの南端側(ジャワハル・サークル)に立つパトリカ・ゲート。ジャイプルの宮殿建築を思わせるチャトリ、窓枠をもつ豪華な門で、ラジャスタンのメディアとして有名なパトリカ・グループによって建てられた。

サンガネール ★☆☆

Sanganer ㋪सांगानेर /㋒سانگانیر

ジャイプルの南15kmに位置するサンガネールは、16世紀ごろから、ラジャスタンの伝統産業である更紗や染めもの、ブロック・プリントで知られてきた(プリトゥビラージの18人の息子のうちの1人が街を築いたといい、周囲の農村から職人や住人が集まってきた)。サンガネールの水はミネラルが豊富で、

★★☆

ディガンベル・ジャイナ寺院 *Digambar Jain Mandir*

★☆☆

ジャワハル・カラ・ケンドラ(JKK) *Jawahar Kala Kendra*
ワールド・トレード・パーク *World Trade Park*
ジャワハル・サークル *Jawahar Circle*
パトリカ・ゲート *Patrika Gate*
サンガネール *Sanganer*
RIICO工業地区 *RIICO Industrial Area*

仕事に打ち込む職人の姿

多種多彩な手芸品がここサンガネールで生まれている

ブロック・プリントの道具がおかれていた

色が鮮やかに映ることから、インド中に知られるようになった。ジャイプル発祥のファッションブランド、アノーキも、サンガネールをはじめとするこの地で受け継がれてきた職人の技術によって衣料をつくり出した。サンガネールでは手作業で仕事に打ち込む職人の姿があるほか、旧市街にはジャイナ教寺院が残り、精緻な彫刻を見ることができる。かつてジャイプル郊外だったが、現在ではひと続きになっている。

ジャイプルの産業

インド屈指の観光地として知られるジャイプルは、伝統工業のさかんな街としても知られる。マハラジャの宮殿建築や調度品でも存分に発揮されている宝石や大理石の加工品、金銀をもちいた工芸品、象牙細工などで見られる職人技はジャイプルならではのもの。また絨毯や更紗、染物なども有名で、ジャイプル近くのバグルーやサンガネールといった村には手作業で行なわれる伝統工芸が息づいている。

ディガンバラ・ジャイナ寺院 ★★☆

Digambar Jain Mandir/Ⓔ दिगम्बर जैन मंदिर /Ⓤ دگمبر جین مندر

サンガネールに残る赤砂岩製のディガンベル・ジャイナ寺院。サンギジーの愛称で呼ばれる西インド有数のジャイナ教寺院で、10世紀にジャイプルのジャイナ教徒の寄進で建てられた。7階建ての寺院はシカラ屋根をもち、8つの天が表現されていて、寺院内にはジャイナ教の24人のティールタンカラ(祖師)の像が安置されている。ジャイナ教は仏教と同じ時代(紀元前6世紀ごろ)に開かれたインドの宗教で、ジャイナとは「勝利者」を意味する。不殺生(アヒンサー)、真実語、不盗、不淫、無所有の戒律をもち、とくに不殺生(アヒンサー)の考えから商業に従事する者が多く、交易を通じてジャイプルをはじめとする西インドで力をもった。このジャイナ教には大きくふたつの派があり、ディガンバラはジャイナ教空衣派をさし、無所有の考えかたから全裸の信者を見ることもできる（もうひとつは白衣派）。

RIICO工業地区 ★☆☆

RIICO Industrial Area ㋪रीको औद्योगिक क्षेत्र ／㋒ریکو انڈسٹریل ایریا

　ジャイプル南郊外のサンガネール空港近くに位置するRIICO工業地区（RIICOはラジャスタン州産業開発・投資公社の略称）。首都デリーに近い立地を利用してインド財閥系や外資系企業が集まる開発区となっている。

サンガネールのディガンベル・ジャイナ寺院

Around Jaipur

ジャイプル郊外城市案内

ラジャスタン州をわけるように続くアラヴァリ山脈
ジャイプル郊外には自然を利用した動物園
また屈指の階段井戸チャンド・バオリも位置する

ジャラナ・サファリパーク ★☆☆

Jhalana Safari Park／㋪ झालाना सफारी पार्क　㋒ جھالانا سفاری پارک

ジャイプル南東郊外の丘陵の森林地帯を利用したジャラナ・サファリパーク（動物園）。1860年まではジャイプル王族の領地だったところで、王族がスポーツを楽しんだり、近くの農村に燃料や資源を提供していた。もともとこのあたりは植生が豊かで、多くの動物が生息し、ハイエナ、キツネ、ジャッカル、シカ、イノシシ、また鷲やフクロウ、渡り鳥も見られる。サワイ・ラーム・シンが1835年に建てたシカール・アウディ寺院、カーリーマタ寺院、ジャイナ教寺院なども残る。

アクシャルダム寺院 ★★☆

Akshardham Jaipur／㋪ अक्षरधाम मंदिर　㋒ اکشردھام مندر

アクシャルダム寺院は、18世紀後半にバグワン・スワミナラヤン（1781〜1830年）によってはじめられたヒンドゥー教の教団の寺院。禁酒や節制などの戒律をもち、インド各地に巨大なヒンドゥー寺院を造営している。ジャイプルのアクシャルダム寺院は、市街西部のヴァイシャリーナガルにあり、中央に3本、両端にそれぞれ1本のシカラ屋根をもち、前方はドーム屋根を連続させる。建物は美しい彫刻で彩られ、本殿はヴィシュヌ神の化身であるナラヤン

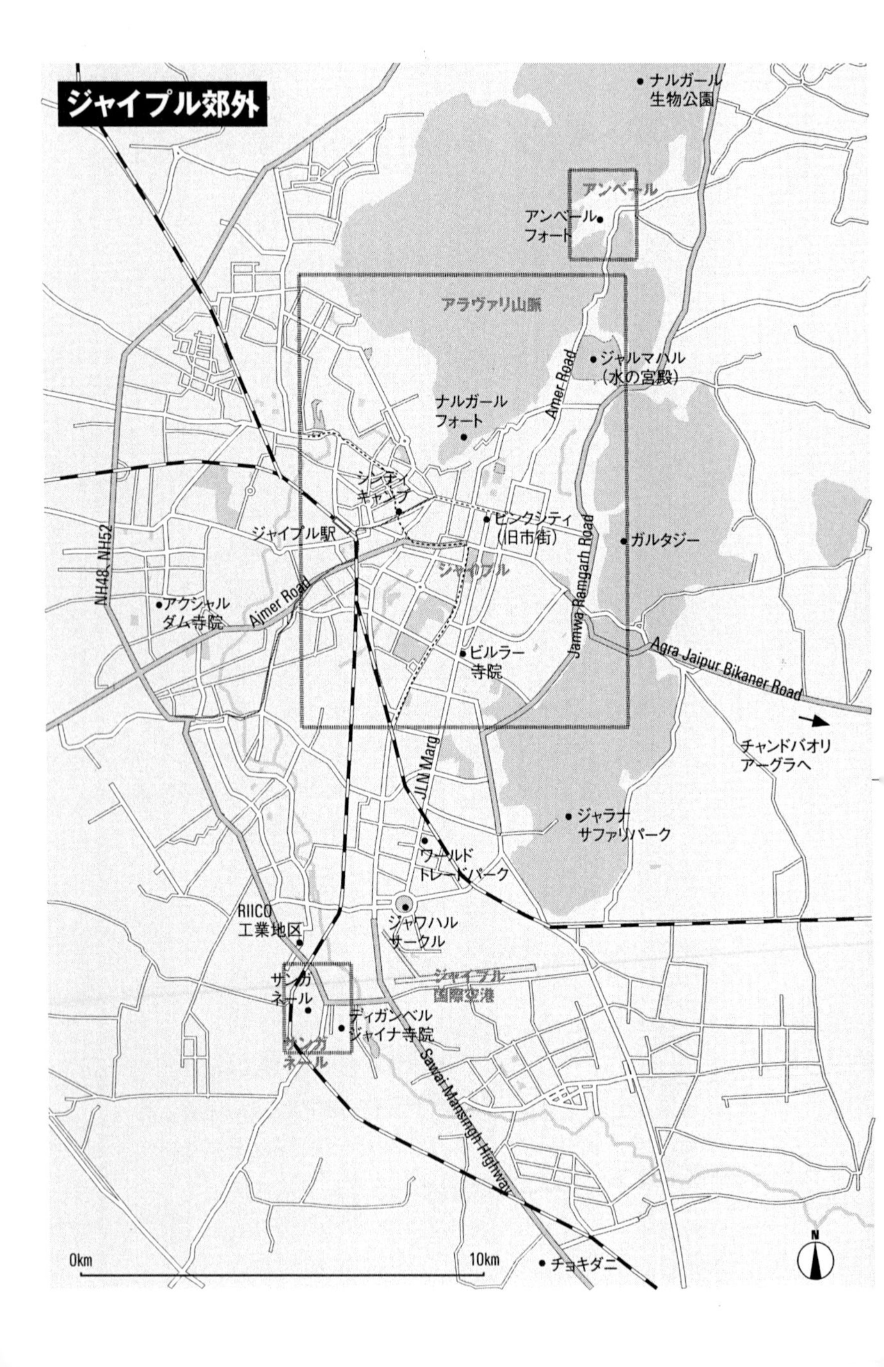
ジャイプル郊外
ナルガール
生物公園
アンベール
アンベール
フォート
アラヴァリ山脈
Amer Road
ジャルマハル
（水の宮殿）
ナルガール
フォート
シンディ
キャンプ
ピンクシティ
（旧市街）
ジャイプル駅
ガルタジー
ジャイプル
Jamwa Ramgarh Road
NH48、NH52
アクシャル
ダム寺院
Ajmer Road
ビルラー
寺院
Agra Jaipur Bikaner Road
チャンドバオリ
アーグラへ
JLN Marg
ジャラナ
サファリパーク
ワールド
トレードパーク
RIICO
工業地区
ジャワハル
サークル
ジャイプル
国際空港
サンガ
ネール
ディガンベル
ジャイナ寺院
サンガ
ネール
Sawai Mansingh Highway
0km
10km
チョキダニ
N

神がまつられている。

チョキダニ ★☆☆

Chokhi Dhani ㋪चोखी धनि ㋒چوکی دھنی

　ジャイプル南郊外にあり、ラジャスタンの伝統的な生活を体験できるテーマパークのチョキダニ。ラジャスタンの集落がイメージされ、この地方の文様、手工芸品、ジャングルに暮らす部族に関する展示、伝統工芸や料理にふれることができる。

ナルガール生物公園 ★☆☆

Nahargarh Biological Park／㋪नाहरगढ़ जैविक उद्यान
㋒نہرگڑھ حیاتیاتی پارک

　ジャイプルの北12km郊外、アラヴァリ山脈の麓に展開するナルガール生物公園。長らくジャイプル王家が狩猟を行なっていた場所で、現在はオジロチョウをはじめとする285種類の鳥類、ライオン、ベンガルトラ、ヒョウ、ハ

★★★
アンベール・フォート *Amber Fort*
ピンク・シティ（ジャイプル旧市街） *Pink City*

★★☆
ディガンベル・ジャイナ寺院 *Digambar Jain Mandir*
アクシャルダム寺院 *Akshardham Jaipur*
ビルラー寺院 *Birla Mandir*
ガルタジー *Galta Ji*
ナルガール・フォート *Nahargarh Fort*
ジャル・マハル（水の宮殿） *Jal Mahal*
アンベール *Amber*

★☆☆
サンガネール *Sanganer*
RIICO工業地区 *RIICO Industrial Area*
ジャラナ・サファリパーク *Jhalana Safari Park*
チョキダニ *Chokhi Dhani*
ナルガール生物公園 *Nahargarh Biological Park*
ワールド・トレード・パーク *World Trade Park*
ジャワハル・サークル *Jawahar Circle*
ジャイプル・ジャンクション駅 *Jaipur Junction Railway Station*
シンディー・キャンプ *Sindhi Camp*

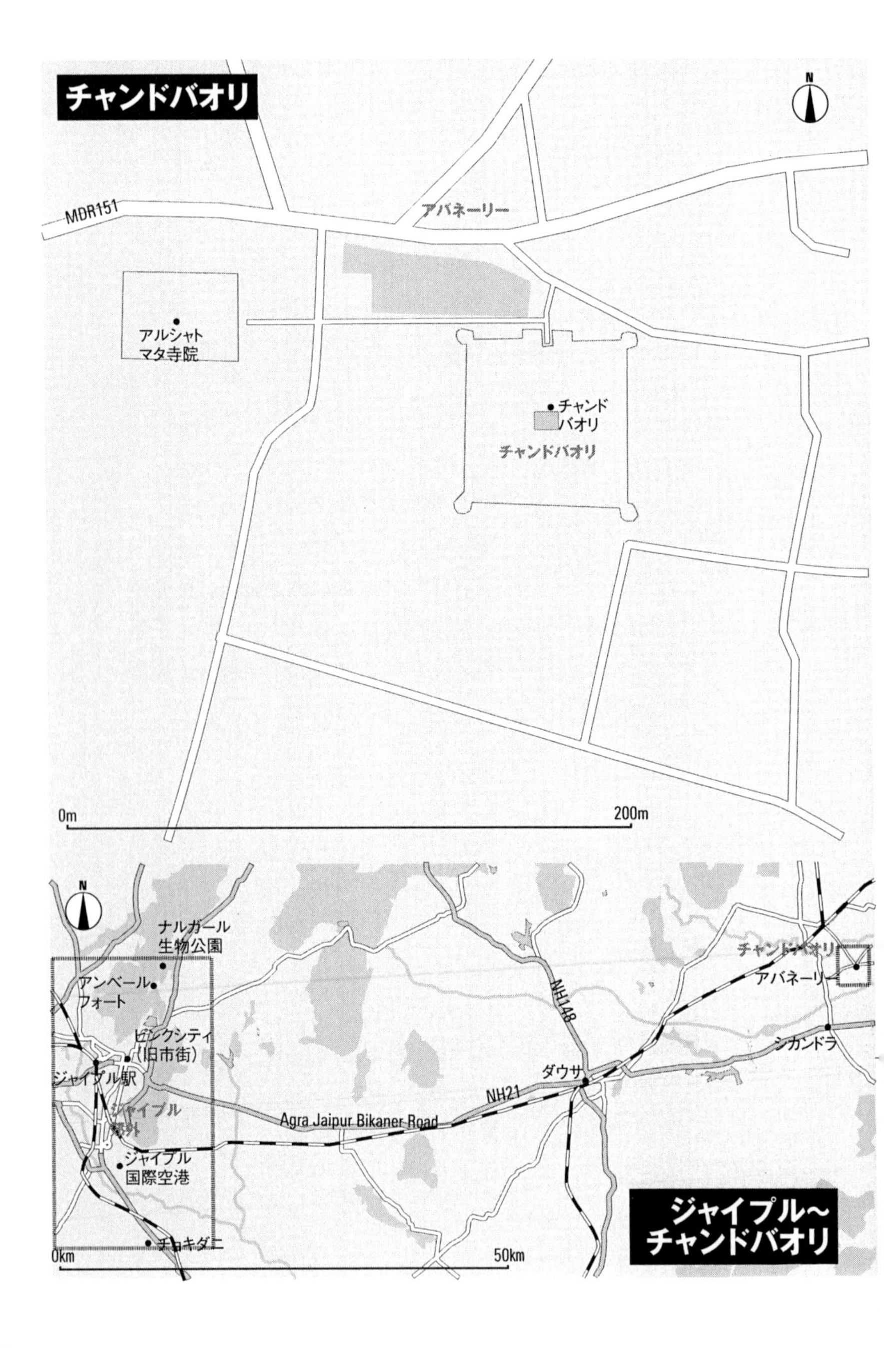
チャンドバオリ
N
MDR151
アバネーリー
アルシャト
マタ寺院
チャンド
バオリ
チャンドバオリ
0m
200m
N
ナルガール
生物公園
アンベール
フォート
ピンクシティ
(旧市街)
ジャイプル駅
ジャイプル
郊外
ジャイプル
国際空港
チョキダニ
NH148
ダウサ
NH21
Agra Jaipur Bikaner Road
チャンドバオリ
アバネーリー
シカンドラ
0km
50km
ジャイプル～
チャンドバオリ

イエナ、オオカミ、シカ、ワニ、クマ、イノシシなどの動物が生息する。マハラジャの狩猟用のロッジも見られる。

チャンド・バオリ ★★☆

Chand Baori ⓗ चाँद् बावड़ी ⓤ چاند باوڑی

ラジャスタンの集落アバネーリーに残る階段井戸チャンド・バオリ。乾燥したラジャスタン地方では、灌漑用の井戸が掘られ、しばしば王権や神権とも結びついてきた。チャンド・バオリは、近くに基壇が残るアルシャト・マタ寺院とともに、9世紀ごろに伝説上のチャンド王によって創建されたと伝えられる(アルシャト・マタ寺院は12世紀のイスラム勢力の侵攻で破壊された)。一辺35mの正方形、地下7層の巨大な階段井戸で、三方向から底に向かって小さな6段の階段が無数に連続する。こうした構造によって、どの水位でも水をかんたんに確保することができ、連続する階段群は大きなひとつの幾何学模様をつくり出している。チャンド・バオリのあるアバネーリーは、ジャイプルとアーグラを結ぶ幹線沿いに位置し、ジャイプルから東に95㎞離れている。

★★★
ピンク・シティ(ジャイプル旧市街) *Pink City*
アンベール・フォート *Amber Fort*

★★☆
チャンド・バオリ *Chand Baori*

★☆☆
チョキダニ *Chokhi Dhani*
ナルガール生物公園 *Nahargarh Biological Park*
ジャイプル・ジャンクション駅 *Jaipur Junction Railway Station*

圧巻の階段井戸チャンド・バオリ

無数の階段が連続して美しい幾何学文様を見せる

カラフルなドレスのラジャスタン女性が映った看板

四隅にミナレットをもつイスラム教のモスク

Machi No Utsurikawari

城市のうつりかわり

**絶えることなく押し寄せてきた異民族の波
外敵と向きあうなかでラージプート族は育まれてきた
古代クシャトリヤの末裔を自認する誇り高き人びとの姿**

ラージプートの時代（8～12世紀）

8～12世紀にかけて北インド各地にラージプート諸族の王朝が樹立されたことから、この時代をラージプート（中央アジアからの侵入者と土着の勢力などを出自とする）の時代と呼ぶ。このなかでも屈指の名門として知られるのがジャイプルのカッチワーハ族で、『ラーマヤナ』の英雄ラーマの子孫を自認し、歴史的にアヨーディヤー、グワリオールといったインドの主要都市も治めていたという。966年、内部抗争などが原因でカッチワーハ族の一派はジャイプルに勢力を遷してドゥンダル国（ジャイプル国の前身）を建国した。その後、1037年、土着のミーナ族のアンベール・フォートを攻略し、ここにジャイプルへつながるアンベール国が樹立された。以来、カッチワーハ族のなかでも、ジャイプルのアンベール王家はその盟主としてラージプート族を代表する立場にあった。

イスラム勢力への戦い（12～16世紀）

氏族を中心とした強い結合をもつラージプート諸族は、他の氏族への対抗心からひとつにまとまることがほとんどなかった。12世紀になって本格的にイスラム勢力が北インドに侵入するなかで、ラージプート諸族はそれぞれが別々に戦いに挑み、「イスラムの大軍への絶望的な戦いにのぞんで玉砕する」「女性は夫のあとを追って生命を断つ」「異教徒の手に落ちる前に集団自殺する」といった状況が見られた。1192年、デリーを陥落させたイスラム勢力によってデリー・サルタナット朝が樹立されると、ラージプート諸族は西インドの地方勢力となり、アンベール王家はジャイプル北のアンベール・フォートを拠点としていた。「西インドに強い支配基盤をもつラージプート族」の扱いは中世以降、北インドの支配者がもっとも腐心することだった。

ムガル＝ラージプート体制時代（16〜17世紀）

16世紀になると北インドでは、それまでにない強大なムガル帝国が樹立された。ラージプート諸族間の争いが絶えないなか、アンベール（ジャイプル）国は1556年、ムガル帝国と盟約を結んでその臣下となる道を選んだ。ムガル帝国第3代アクバル帝は、ラージプート族の協力のもと北インドに覇権を唱えることになるが（ムガル＝ラージプート体制）、ウダイプルのメワール国のようにムガル帝国に最後まで抵抗を続けるラージプート族もいた。第3代アクバル帝に続いて、ムガル帝国の全盛期に即位した第4代ジャハンギール帝、第5代シャー・ジャハーン帝はいずれもラージプート族出身の王妃を母とした（ジャイプルという称号は、1600年にムガル帝国アクバル帝からあたえられた）。

ピンク・シティの造営（18世紀）

アンベール王家の黄金時代を築いたジャイ・シン2世が即位したのが、アウラングゼーブ帝の時代で、皇帝から「サワイ」の称号を受けている。ジャイ・シン2世は、1727

ジャイプルのフルーツジュース屋さん

クリシュナとラーダーはジャイプルでよく見る神さま

マハラジャの肖像画、シティ・パレスにて

鮮やかな衣装をまとった象と象使い

年、計画都市ジャイプルを造営してアンベール・フォートから都を遷し、ジャイプルはラジャスタンを代表する繁栄を見せるようになった。この時代、ムガル帝国の支配はかげりを見せはじめていて、ジャイプルもまた事実上の独立国となっていた(アウラングゼーブ帝の迫害から逃れるため、ブリンダーバンのゴーヴィンドデーオがジャイプルへ移されている)。

藩王国時代(19~20世紀)

19世紀に入ると、西インドのラージプート諸族は南からマラータ同盟の侵攻を受けるようになった。インド各地の政権が勢力を伸ばすなかで、ラージプート諸国はイギリスの保護国となり、ラージプタナにはマハラジャを中心にした20ほどの藩王国がならび立つ状況だった。こうしたなかジャイプル国のジャガト・シンは1818年にイギリスと軍事同盟を結んでイギリスの保護国となった(1857年に起こったインド大反乱では反乱軍ではなく、イギリス側に味方している)。また1853年、宗主国イギリスのアルバート王子を歓迎する意味で、ジャイプル旧市街の建物はピンク色にぬられ、この街はピンク・シティと呼ばれるようになった。マハラジャは多くの時間を海外で暮らすなど贅沢な生活をしていたという。

インド屈指の観光地(20世紀~)

1947年にインド共和国が成立すると、マハラジャはしばらくのあいだ年金などの優待条件を受けていたが、やがて一市民の立場となった。英領インド時代、ラージプタナと呼ばれた地域は、ラジャスタン州となり、インドでも屈指の観光地として知られている。世界遺産ジャンタル・マンタルを抱える州都ジャイプルはじめ、ブルー・シティとして知られるジョードプル、水の都ウダイプル、砂漠の隊商都市ジャイサルメールなど、いずれも中世から近代にかけてこの地をおさめたマハラジャゆかりの宮殿や遺構を見ることができる。

参考文献

『アジア都市建築史』(布野修司・応地利明/昭和堂)

『北インド』(辛島昇・坂田貞二/山川出版社)

『インド建築案内』(神谷武夫/TOTO出版)

『ムガル期インドの国家と社会』(佐藤正哲/春秋社)

『「星の王様」が造った天文遊園地』(中村好文/芸術新潮)

『占星術師たちのインド』(矢野道雄/中央公論新社)

『アジアの近代建築を歩く(11)<ジャイプル>ジェイコブ--インド伝統芸術の継承』(須賀温/月刊しにか)

『訪問記 ジャイプル ジャンタル・マンタル天文台を訪れて』(加藤英一/グローバリゼーション研究)

『History of the Jaipur City』(Ashim Kumar Roy/Manohar)

『Building Jaipur』(Vibhuti Sachdev and Giles Tillotson/Reaktion)

Rajasthan Tourism - Government of Rajasthan http://www.tourism.rajasthan.gov.in/

Jaipur - the official portal of Jaipur District, Rajasthan https://jaipur.rajasthan.gov.in

Indira Gandhi National Centre for the Arts: IGNCA http://ignca.gov.in/

The Jantar Mantar, Jaipur https://whc.unesco.org/uploads/nominations/1338.pdf

UNESCO World Heritage Centre https://whc.unesco.org/

Hawa Mahal – "Palace of Winds" Jaipur, India https://www.hawa-mahal.com/

RajRAS - Rajasthan RAS https://www.rajras.in/

Lord Cultural Resources https://www.lord.ca/

Laxmi Misthan Bhandar https://lmbsweets.com/

Museums of India https://www.museumsofindia.org/

Welcome to Kishanpole Bazar http://kishanpolebazar.com/

MDI Gurgaon http://www.mdu.ac.in/UpFiles/UpPdfFiles/2020/Mar/Ch-11.pdf

Royal Jaipur- Explore the Royal Landmarks in Jaipur https://royaljaipur.in/

Jaipur Nagar Nigam http://jaipurmc.org/

Amber Fort – Visit Pinkcity.com https://amberfort.org/

Rajmandir Cinema https://therajmandir.com/

Niros Restaurant https://www.nirosindia.com/

eBazaar Rajasthan - Government of Rajasthan https://ebazaar.rajasthan.gov.in/main

Welcome to Jaipur Junction https://www.jaipurjunction.in/

Rajasthan Tourism http://www.rajasthan-tourism.org/

Offical Website Moti Dungri Ganesh Temple https://www.motidungri.com/

Anokhi Home - Anokhi https://www.anokhi.com/

ARCHAEOLOGICAL SURVEY OF INDIA JAIPUR CIRCLE http://asijaipurcircle.nic.in/

Amer Jaipur City of Heritage http://amerjaipur.in/

チョキダニ https://www.chokhidhani.com/village/

[PDF]ジャイプル地下鉄路線図http://machigotopub.com/pdf/jaipurmetro.pdf

OpenStreetMap

(C)OpenStreetMap contributors

まちごとパブリッシングの旅行ガイド

Machigoto INDIA , Machigoto ASIA , Machigoto CHINA

北インド-まちごとインド

001　はじめての北インド
002　はじめてのデリー
003　オールド・デリー
004　ニュー・デリー
005　南デリー
012　アーグラ
013　ファテープル・シークリー
014　バラナシ
015　サールナート
022　カージュラホ
032　アムリトサル

西インド-まちごとインド

001　はじめてのラジャスタン
002　ジャイプル
003　ジョードプル
004　ジャイサルメール
005　ウダイプル
006　アジメール（プシュカル）
007　ビカネール
008　シェカワティ
011　はじめてのマハラシュトラ
012　ムンバイ
013　プネー
014　アウランガバード
015　エローラ
016　アジャンタ
021　はじめてのグジャラート
022　アーメダバード
023　ヴァドダラー（チャンパネール）
024　ブジ（カッチ地方）

東インド-まちごとインド

002　コルカタ
012　ブッダガヤ

南インド-まちごとインド

001　はじめてのタミルナードゥ
002　チェンナイ
003　カーンチプラム
004　マハーバリプラム
005　タンジャヴール
006　クンバコナムとカーヴェリー・デルタ
007　ティルチラパッリ
008　マドゥライ
009　ラーメシュワラム
010　カニャークマリ
021　はじめてのケーララ
022　ティルヴァナンタプラム
023　バックウォーター（コッラム～アラップーザ）

024　コーチ（コーチン）
025　トリシュール
006　ムルタン

ネパール-まちごとアジア

001　はじめてのカトマンズ
002　カトマンズ
003　スワヤンブナート
004　パタン
005　バクタプル
006　ポカラ
007　ルンビニ
008　チトワン国立公園

バングラデシュ-まちごとアジア

001　はじめてのバングラデシュ
002　ダッカ
003　バゲルハット（クルナ）
004　シュンドルボン
005　プティア
006　モハスタン（ボグラ）
007　パハルプール

パキスタン-まちごとアジア

002　フンザ
003　ギルギット（KKH）
004　ラホール
005　ハラッパ

イラン-まちごとアジア

001　はじめてのイラン
002　テヘラン
003　イスファハン
004　シーラーズ
005　ペルセポリス
006　パサルガダエ（ナグシェ・ロスタム）
007　ヤズド
008　チョガ・ザンビル（アフヴァーズ）
009　タブリーズ
010　アルダビール

北京-まちごとチャイナ

001　はじめての北京
002　故宮（天安門広場）
003　胡同と旧皇城
004　天壇と旧崇文区
005　瑠璃廠と旧宣武区
006　王府井と市街東部
007　北京動物園と市街西部
008　頤和園と西山
009　盧溝橋と周口店
010　万里の長城と明十三陵

天津-まちごとチャイナ

001　はじめての天津
002　天津市街
003　浜海新区と市街南部
004　薊県と清東陵

上海-まちごとチャイナ

001　はじめての上海
002　浦東新区
003　外灘と南京東路
004　淮海路と市街西部
005　虹口と市街北部
006　上海郊外（龍華・七宝・松江・嘉定）
007　水郷地帯（朱家角・周荘・同里・甪直）

河北省-まちごとチャイナ

001　はじめての河北省
002　石家荘
003　秦皇島
004　承徳
005　張家口
006　保定
007　邯鄲

江蘇省-まちごとチャイナ

001　はじめての江蘇省
002　はじめての蘇州
003　蘇州旧城
004　蘇州郊外と開発区
005　無錫
006　揚州
007　鎮江
008　はじめての南京
009　南京旧城
010　南京紫金山と下関
011　雨花台と南京郊外・開発区
012　徐州

浙江省-まちごとチャイナ

001　はじめての浙江省
002　はじめての杭州
003　西湖と山林杭州
004　杭州旧城と開発区
005　紹興
006　はじめての寧波
007　寧波旧城
008　寧波郊外と開発区
009　普陀山
010　天台山
011　温州

福建省-まちごとチャイナ

001　はじめての福建省
002　はじめての福州
003　福州旧城
004　福州郊外と開発区
005　武夷山

006　泉州
007　厦門
008　客家土楼

広東省-まちごとチャイナ

001　はじめての広東省
002　はじめての広州
003　広州古城
004　天河と広州郊外
005　深圳（深セン）
006　東莞
007　開平（江門）
008　韶関
009　はじめての潮汕
010　潮州
011　汕頭

遼寧省-まちごとチャイナ

001　はじめての遼寧省
002　はじめての大連
003　大連市街
004　旅順
005　金州新区
006　はじめての瀋陽
007　瀋陽故宮と旧市街
008　瀋陽駅と市街地
009　北陵と瀋陽郊外
010　撫順

重慶-まちごとチャイナ

001　はじめての重慶
002　重慶市街
003　三峡下り（重慶～宜昌）
004　大足
005　重慶郊外と開発区

四川省-まちごとチャイナ

001　はじめての四川省
002　はじめての成都
003　成都旧城
004　成都周縁部
005　青城山と都江堰
006　楽山
007　峨眉山
008　九寨溝

香港-まちごとチャイナ

001　はじめての香港
002　中環と香港島北岸
003　上環と香港島南岸
004　尖沙咀と九龍市街
005　九龍城と九龍郊外
006　新界
007　ランタオ島と島嶼部

マカオ-まちごとチャイナ

001　はじめてのマカオ
002　セナド広場とマカオ中心部
003　媽閣廟とマカオ半島南部
004　東望洋山とマカオ半島北部
005　新口岸とタイパ・コロアン

Juo-Mujin(電子書籍のみ)

Juo-Mujin香港縦横無尽
Juo-Mujin北京縦横無尽
Juo-Mujin上海縦横無尽
Juo-Mujin台北縦横無尽
見せよう! 上海で中国語
見せよう! 蘇州で中国語
見せよう! 杭州で中国語
見せよう! デリーでヒンディー語
見せよう! タージマハルでヒンディー語
見せよう! 砂漠のラジャスタンでヒンディー語

自力旅游中国Tabisuru CHINA

001　バスに揺られて「自力で長城」
002　バスに揺られて「自力で石家荘」
003　バスに揺られて「自力で承徳」
004　船に揺られて「自力で普陀山」
005　バスに揺られて「自力で天台山」
006　バスに揺られて「自力で秦皇島」
007　バスに揺られて「自力で張家口」
008　バスに揺られて「自力で邯鄲」
009　バスに揺られて「自力で保定」
010　バスに揺られて「自力で清東陵」
011　バスに揺られて「自力で潮州」
012　バスに揺られて「自力で汕頭」
013　バスに揺られて「自力で温州」
014　バスに揺られて「自力で福州」
015　メトロに揺られて「自力で深圳」

旅のインド文字

英語
ヒンディー語
ウルドゥー語

英語 = アルファベット
ヒンディー語 = デーヴァナーガリー文字
ウルドゥー語 = ウルドゥー文字

ジャイプル
jaipur

जयपुर
جے پور

シティ・パレス
City Palace

सिटी पैलेस
سٹی محل

マハラニ・ガヤトリ・デヴィ・ゲート
Maharani Gayatri Devi Gate

महारानी गायत्री देवी गेट
مہارانی گیتری دیوی گیٹ

チャンドニー・チョウク
Chandni Chowk

चांदनी चोक
چاندنی چوک

アナンド・クリシュナ・ビハーリ寺院
Anand Krishna Bihari Mandir

आनंद कृष्ण बिहारी मंदिर
آنند کرشنا بہاری مندر

ムバラク・マハル
Mubarak Mahal

मुबारक महल
مبارک محل

ラジェンドラ・ゲート
Rajendra Gate

राजेंद्र गेट

راجندر گیٹ

サルバト・バドラ（ディワーネ・カース）
Sarvato Bhadra (Diwan-e Khas)

सर्वतोभद्र(दीवान-ए-खास)

دیوان خاص

チャンドラ・マハル（プリタム・ニワス・チョウク）
Chandra Mahal

चन्द्र महल

چندر محل

サブハ・ニワス（ディワーネ・アーム）
Sabha Niwas (Baggi Khana、Diwan-e Aam)

दीवान-ए-आम

دیوانِ عام

シレー・カーナ
Sileh Khana

सिलेह खाना

سیلعہ کھانا

ゴーヴィンド・デーオ寺院
Govindji Mandir

गोविन्द देव जी मंदिर

گووند دیو جی مندر

ジャイ・ニワス庭園
Jai Niwas Garden

जय निवास गार्डन

جے نیواس گارڈن

タル・カトラ
Tal Katora

ताल कटोरा

تال کٹورا

チャウガン・スタジアム
Chaugan Stadium

चौगान स्टेडियम

چوگن اسٹیڈیم

ジャンタル・マンタル
Jantar Mantar

जंतर मंतर

جنتر منتر

サムラート・ヤントラ
Vrihat Smarat Yantra

सम्राट यंत्र

سمارات یانترا

ラグ・サムラート・ヤントラ
Lagh Samrat Yantra

लघु सम्राट यंत्र

لاگھ سمرت ینترا

ラム・ヤントラ
Ram Yantra

राम यंत्र

رام ینترا

ジャイ・プラカーシュ・ヤントラ
Jai Prakash Yantra

जय प्रकाश यंत्र

جئے پرکاش ینترا

チャクラ・ヤントラ
Chakra Yantra

चक्र यंत्र

چکر ینترا

クランティ・ヴリッタ・ヤントラ
Kranti Vritta Yantra

क्रांतिवृत्त यंत्र

کرانتی وریٹا ینترا

ラシヴァラヤ・ヤントラ
Rashi Valaya Yantra

राशि वलय यंत्र

راسهی والیا ینترا

ダクシノヴリッティ・ヤントラ
Dakshino Vritti Yantra

दक्षिणोदक भित्ति यंत्र

دکسهینه وریتتی ینترا

ハワ・マハル(風の宮殿)
Hawa Mahal

हवा महल

ہوا محل

バリー・チョウパル
Badi Chaupar

बड़ी चौपड़

بادی چوپر

シレー・デオリ・バザール
Sireh Deori Bazar

सिरह देवरी बाज़ार

سیرعه دیوری بازار

サワイ・マン・シン・タウン・ホール
Sawai Man Singh Town Hall

सवाई मान सिंह टाउन हॉल

سوائی مان سنگھ ٹاؤن ہال

ラーマチャンドラ寺院
Ramchandra Mandir

राम चंद्रा मंदिर

رام چندر مندر

カルキ寺院
Kalki Mandir

कल्कि मंदिर

کلکی مندر

ジャレブ・チャウク
Jalab Chowk

जलेब चौक

جلیب چوک

ピンク・シティ（ジャイプル旧市街）
Pink City

गुलाबी शहर

گلابی شہر

城壁と門
Gates

दरवाज़ा

دروازہ

ジョハリ・バザール
Johari Bazar

जौहरी बाज़ार

جوہری بازار

ジャマー・マスジッド
Jama Masjid

जामा मस्जिद

جامع مسجد

ラクシュミー・ミサン・バンダル
Laxmi Misthan Bhandar

लक्ष्मी मिष्ठान भंडार

لکشمی مشٹن بھنڈر

トリポリア・バザール
Tripolia Bazar

त्रिपोलिया बाज़ार

ترپولیا بازار

トリポリア・ゲート
Tripolia Gate

त्रिपोलिया गेट

ترپولیا گیٹ

イシュワル・ラット
Ishwar Lat (Sargasuli)

ईसरलाट(सरगासूली)

ایشور لاٹ

ナワーブ・サーヒブ・ハーヴェリー
Nawab Sahib Ki Haveli

नवाब साहब की हवेली

نواب صاحب کی حویلی

チョウラ・ラスタ
Chaura Rasta

चौरा रस्ता

چار راستہ

タルケシュワル・マハーデヴ寺院
Tarkeshwar Mahadev Mandir

ताड़केश्वर महादेव मंदिर

تاڑکیشور مہادیو مندر

レガシーズ博物館
Museum of Legacies

म्यूज़ियम ऑफ लिगेसी

میراث کا میوزیم

キシャン・ポル・バザール
Kishanpol Bazar

किशनपोल बाज़ार

کشنپول بازار

チャンド・ポル・バザール
Chandpole Bazar

चांदपोल बाज़ार

چاندپول بازار

チャンド・ポル・ハヌマン寺院
Shri Chandpole Hanuman Ji Mandir

श्री चांदपोल हनुमान जी मंदिर

چاندپول ہنومان مندر

ラームガンジ・バザール
Ramganj Bazar

रामगंज बाज़ार
رام گنج بازار

ガート・ダルワザ
Ghat Darwaza

घाट दरवाजा
گھاٹ دروازہ

カーレ・ハヌマン寺院
Kale Hanuman Ji Mandir

काले हनुमान जी मंदिर
کالے ہنومان جی مندر

アジメール門
Ajmeri Gate

अजमेरी गेट
اجمیری گیٹ

バープー・バザール
Bapu Bazar

बापू बाज़ार
باپو بازار

ネルー・バザール
Nehru Bazar

नेहरु बाज़ार
نہرو بازار

インディラ・バザール
Indira Bazar

इंदिरा बाज़ार
اندرا بازار

ニュー・ゲート
New Gate (Naya Pol)

न्यू गेट
نیا گیٹ

M·I·ロード
Mirza Ismail Road

मिर्ज़ा इस्माइल सड़क
مرزا اسماعیل روڈ

ラジ·マンディル
Raj Mandir

राजमंदिर
راج مند

ニロス
Niros

निरोस
نیروس

キング·エドワード·メモリアル
King Edward Memorial Sarai

किंग एडवर्ड मेमोरियल
کنگ ایڈورڈ میموریل

ラジャスタン·エンポリウム
Rajasthan Emporium

राजस्थली एम्पोरियम
راجستھانی امپوریم

宝石·宝飾品博物館
Museum of Gem and Jewellery

रत्न और आभूषण संग्रहालय
جیولری میوزیم

ラーム·ニワス庭園
Ram Niwas Garden

राम निवास बाग
رام نواس باغ

アルバート·ホール博物館（中央博物館）
Albert Hall Museum (Central Museum)

अल्बर्ट हॉल
संग्रहालय(सेंट्रल म्यूज़ियम)
البرٹ ہال میوزیم

マサラ・チャウク
Masala Chowk

मसाला चौक

مسالہ چوک

ジャイプル動物園
Zoological Garden

जूलॉजिकल पार्क

چڑیا گھر

マヒラ・チキットサラヤ
Mahila Chikitsalaya

महिला चिकत्सालय

خواتین کا کلینک

ラヴィンドラ・マンチ
Ravindra Manch

रवींद्र मंच

ربندر منچ

ジャイプル新市街
New Jaipur

न्यू जयपुर

نیا جی پور

ジャイプル・ジャンクション駅
Jaipur Junction Railway Station

जयपुर जंक्शन रेलवे स्टेशन

جے پور جنکشن ریلوے اسٹیشن

シンディー・キャンプ
Sindhi Camp

सिंधी कैंप

سندھی کیمپ

イギリス国教会
All Saints' Church

ऑल सेंट्स चर्च

برٹش چرچ

アムラパリ美術館
Amrapali Museum

आम्रपाली संग्रहालय
امراپالی میوزیم

ハトロイ・フォート
Hathroi Fort

हथरोई फोर्ट
ہتروئی فورٹ

ビルラー寺院
Birla Mandir

बिड़ला मंदिर
برلا مندر

モティ・ドゥングリ・ガネーシャ寺院
Moti Dungri Ganesh Ji Mandir

मोतीडूंगरी गणेश मंदिर
موتیڈنگاری گنیش مندر

モティ・ドゥングリ・フォート
Moti Dungri Fort

मोती डूंगरी फोर्ट
موتی ڈنگری فورٹ

Cスキーム
C-Scheme

सी स्कीम
سی اسکیم

スタチュー・サークル
Statue Circle

स्टेच्यु सर्किल
مجسمہ سرکل

アノーキ
Anokhi

अनोखी
انوکھی

セントラル・パーク
Central Park

सैन्ट्रल पार्क
مرکزی پارک

ラーム・バーグ・パレス
Ram Bagh Palace

रामबाग पैलेस
رام باغ محل

アマル・ジャワン・ジョティ
Amar Jawan Jyoti

अमर जवान ज्योति
امر جوان جیوتی

ヴィダン・サブハ
Vidhan Sabha

विधान सभा
ودھان سبھا

ラジ・マハル・パレス
Raj Mahal Palace (Sujan Raj Mahal Palace)

राज महल पैलेस
راج محل

ガルタジー
Galta Ji

गलता जी
گلٹا جی

スーリヤ寺院
Surya Mandir (Sun Temple)

सूर्य मंदिर
سورج مندر

シソーディア・ラーニ庭園
Sisodia Rani Ka Bagh

सिसोदिया रानी महल और बाग़
سیسودیا رانی محل اور باغ

ヴィディヤダール庭園
Vidyadhar Bagh

विद्याधर का बाग़

ودیادھر باغ

チュルギリ・ディガンバラ・ジャイナ寺院
Chulgiri Digamber Jain Mandir

चूलगिरी दिगम्बर जैन मंदिर

چولگیری ڈیگمبر جین مندر

ホール・ケ・ハヌマンジー寺院
Khole Ke Hanuman Ji Mandir

खोले के हनुमान जी मंदिर

کھولے ہنومان مندر

ナルガール・フォート
Nahargarh Fort

नाहरगढ़ क़िला

نہرگڑھ قلعہ

マードヴェンドラ宮殿
Madhvendra Palace

माधवेंद्र पैलेस

مادھویندر محل

ジャイプル蝋人形館
Jaipur Wax Museum

जयपुर वैक्स म्यूजियम

جے پور موم میوزیم

彫刻公園
Sculpture Park

स्कल्पचर पार्क

اسکلپچر پارک

プンダリク・キ・ハーヴェリー
Pundarik Ki Haveli

पुंडरीक की हवेली

پندرک کی حویلی

ガイトール(王室墓園)
Royal Chatris (Gaitor)

गैटोर
شاہی مقبرہ

ガネーシャ寺院
Garh Ganesh Mandir

गढ़ गणेश मंदिर
گڑھ گنیش مندر

マハラニ・キ・チャトリ
Maharani Ki Chhatri

महारानी की छतरी
ملکہ کی چھتری

ジャル・マハル(水の宮殿)
Jal Mahal

जल महल
جل محل

カナック・ブリンダーバン
Kanak Vrindavan

कनक वृन्दावन
کانک ورنداون

ジャイプル・ハート
Jaipur Haat

जयपुर हाट
جے پور ہات

アンベール・フォート
Amber Fort

आमेर दुर्ग(आमेर महल)
عامر قلعہ

ジャレブ・チョウク
Jaleb Chowk

जलेब चौक
جلیب چوک

ライオン・ゲート
Singh Pol

सिंह पोल
سنگھ پول

シーラ女神寺院
Shila Devi Mandir

शिला देवी मंदिर
شیلا دیوی مندر

ディワーネ・アーム
Diwan-e-Aam

दीवान-ए-आम
دیوانِ عام

ガネーシャ・ゲート
Ganesh Pol

गणेश पोल
گنیش پول

ディワーネ・カース
Diwan-e Khas

दीवान-ए-खास
دیوانِ خاص

シーシュ・マハル（鏡の回廊）
Sheesh Mahal

शीश महल
شیش محل

アラム・バーグ
Aram Bagh

आराम बाग
ارم باغ

スーク・ニワス
Sukh Niwas (Sukh Mandir)

सुख निवास
سکھ نیواس

ハーレム

Harem

हरेम

حریم

マオタ湖

Maota Sarover

मोठा सरोवर

ماوٹا جھیل

ケサル・キャリ庭園

Kesar Kyari Bagh

केसर क्यारी बाग

کیسر کیاری باغ

ジャイガル・フォート

Jaigarh Fort

जयगढ़ दुर्ग(जयगढ़ फोर्ट)

جے گڑھ قلعہ

アンベール

Amber

आमेर

عامر

アンビケシュワーラ寺院

Ambikeshwar Mahadev Mandir

अम्बिकेश्वर महादेव मंदिर

امبیکیشور مہادیو مندر

パンナ・メーナの階段井戸

Panna Meena Ka Kund

पन्ना मीणा का कुंड

پنہ مینا کا کنڈ

アノーキ美術館

Anokhi Museum

अनोखी संग्रहालय

انوکھی میوزیم

ケーリー門
Kheri Gate

खेरी गेट

کھیری گیٹ

ジャガット・シロマニ寺院
Jagat Shiromani Mandir

जगत शिरोमणि मंदिर

جگت شرومنی مندر

ナラシンハ寺院
Narsingh Devji Mandir

नृसिंह देव जी मंदिर

نرسنگھ دیو مندر

アクバリー・マスジッド
Akbari Masjid

अकबरी मस्जिद

اکبری مسجد

ジャワハル・カラ・ケンドラ（JKK）
Jawahar Kala Kendra

जवाहर कला केन्द्र

جواہر آرٹس سینٹر

ワールド・トレード・パーク
World Trade Park

वर्ल्ड ट्रेड पार्क

ورلڈ ٹریڈ پارک

ジャワハル・サークル
Jawahar Circle

जवाहर सर्किल

جواہر سرکل

パトリカ・ゲート
Patrika Gate

पत्रिका गेट

پیٹریکا گیٹ

サンガネール
Sanganer

सांगानेर

سنگانیر

ディガンバラ・ジャイナ寺院
Digambar Jain Mandir

दिगम्बर जैन मंदिर

ڈیگمبر جین مندر

RIICO工業地区
RIICO Industrial Area

रीको औद्योगिक क्षेत्र

ریکو انڈسٹریل ایریا

ジャラナ・サファリパーク
Jhalana Safari Park

झालाना सफारी पार्क

جھالانا سفاری پارک

アクシャルダム寺院
Akshardham Jaipur

अक्षरधाम मंदिर

اکشردھام مندر

チョキダニ
Chokhi Dhani

चोखी धनि

چوکی دھنی

ナルガール生物公園
Nahargarh Biological Park

नाहरगढ़ जैविक उद्यान

نہرگڑھ حیاتیاتی پارک

チャンド・バオリ
Chand Baori

चाँद बावड़ी

چاند باوری

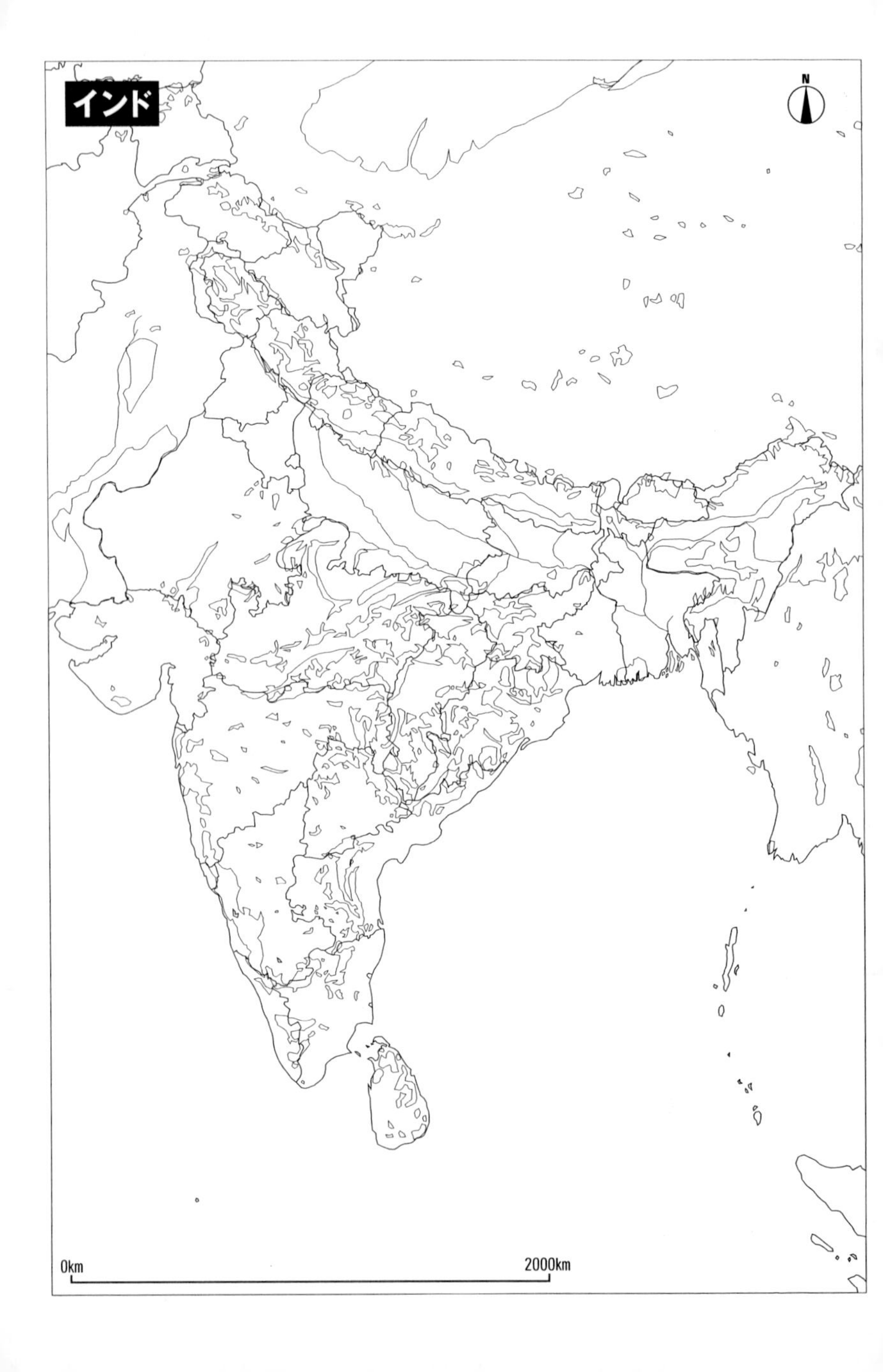
インド
N
0km
2000km

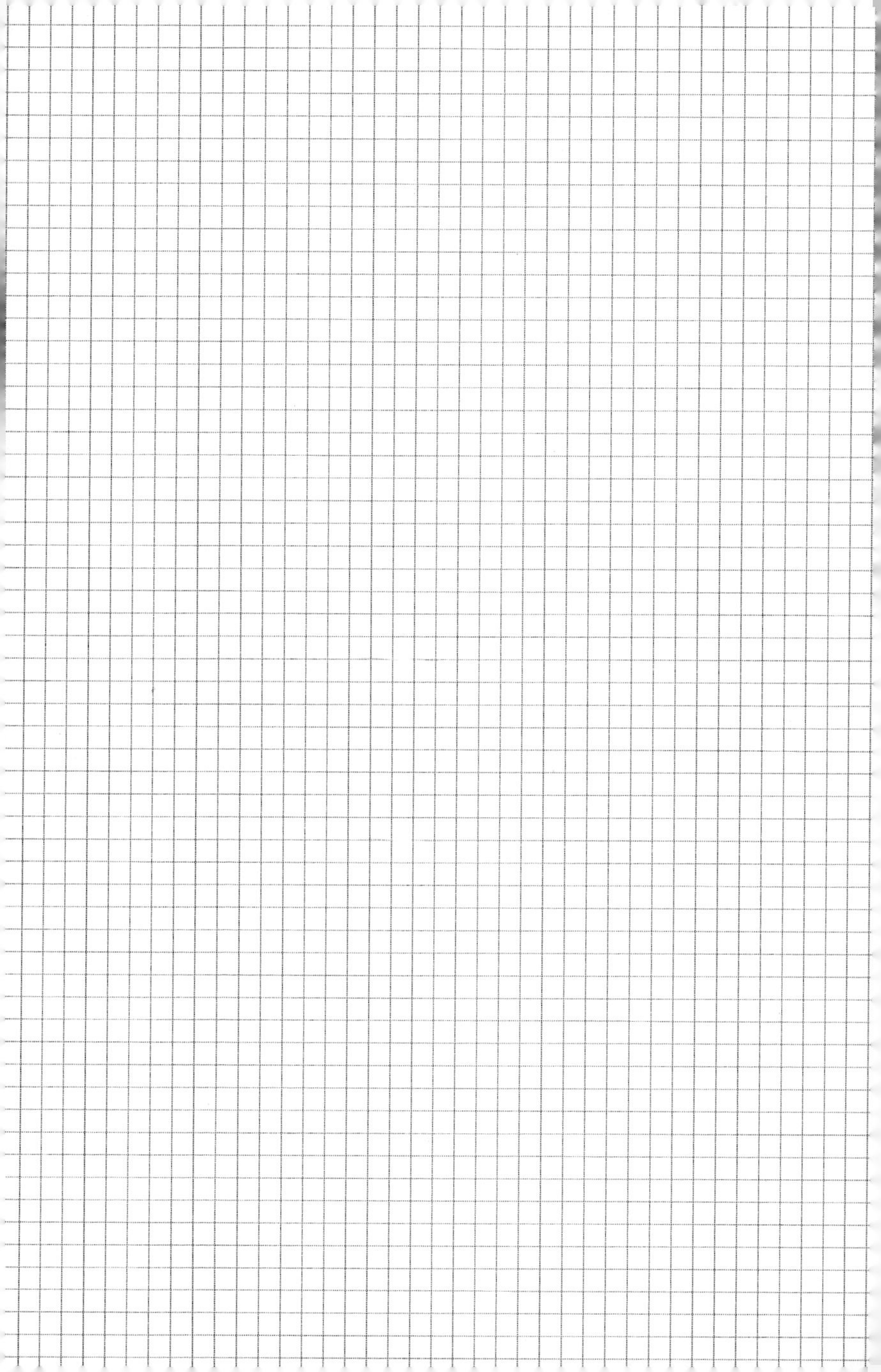

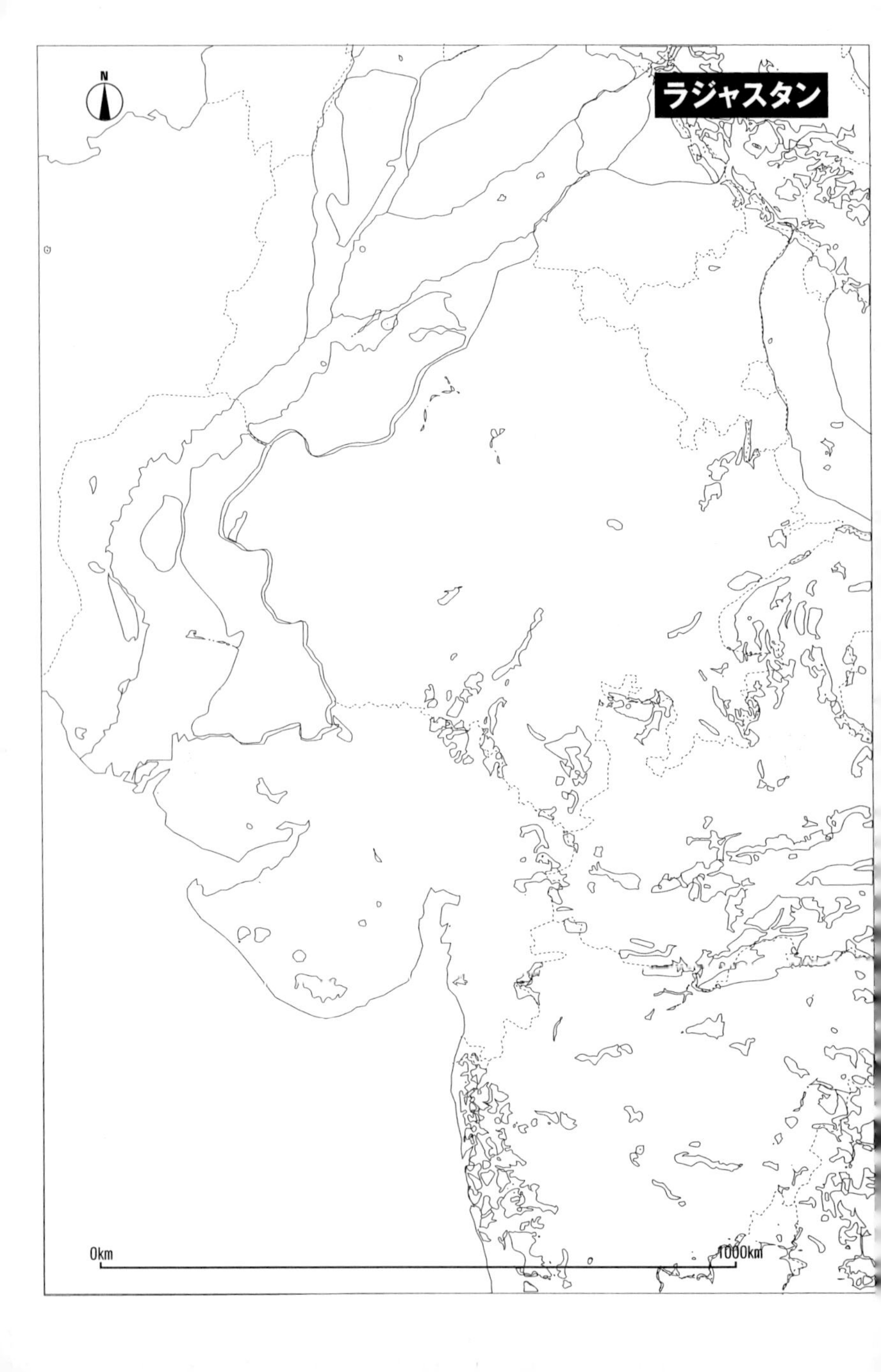
N
ラジャスタン
0km
1000km

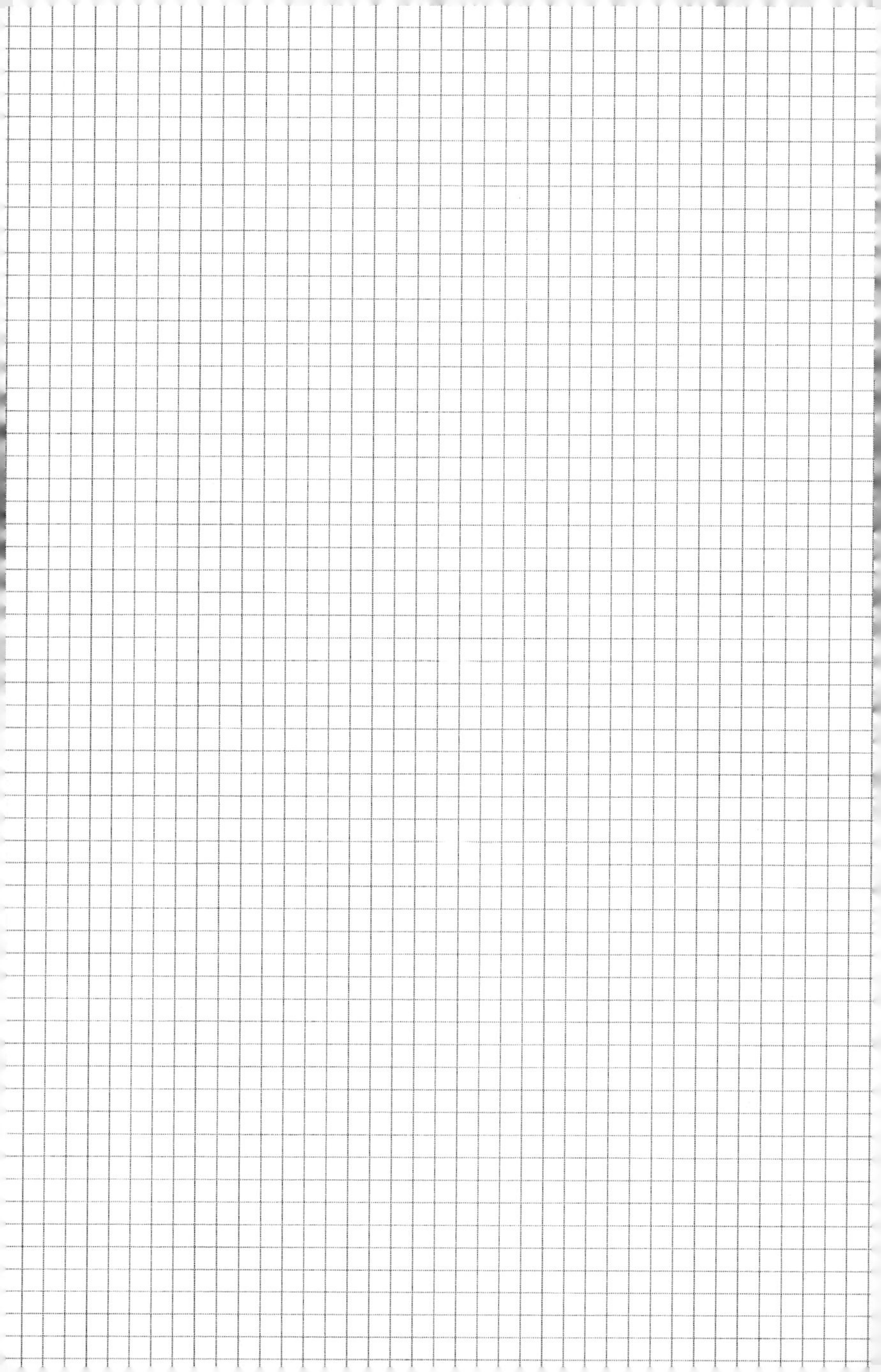

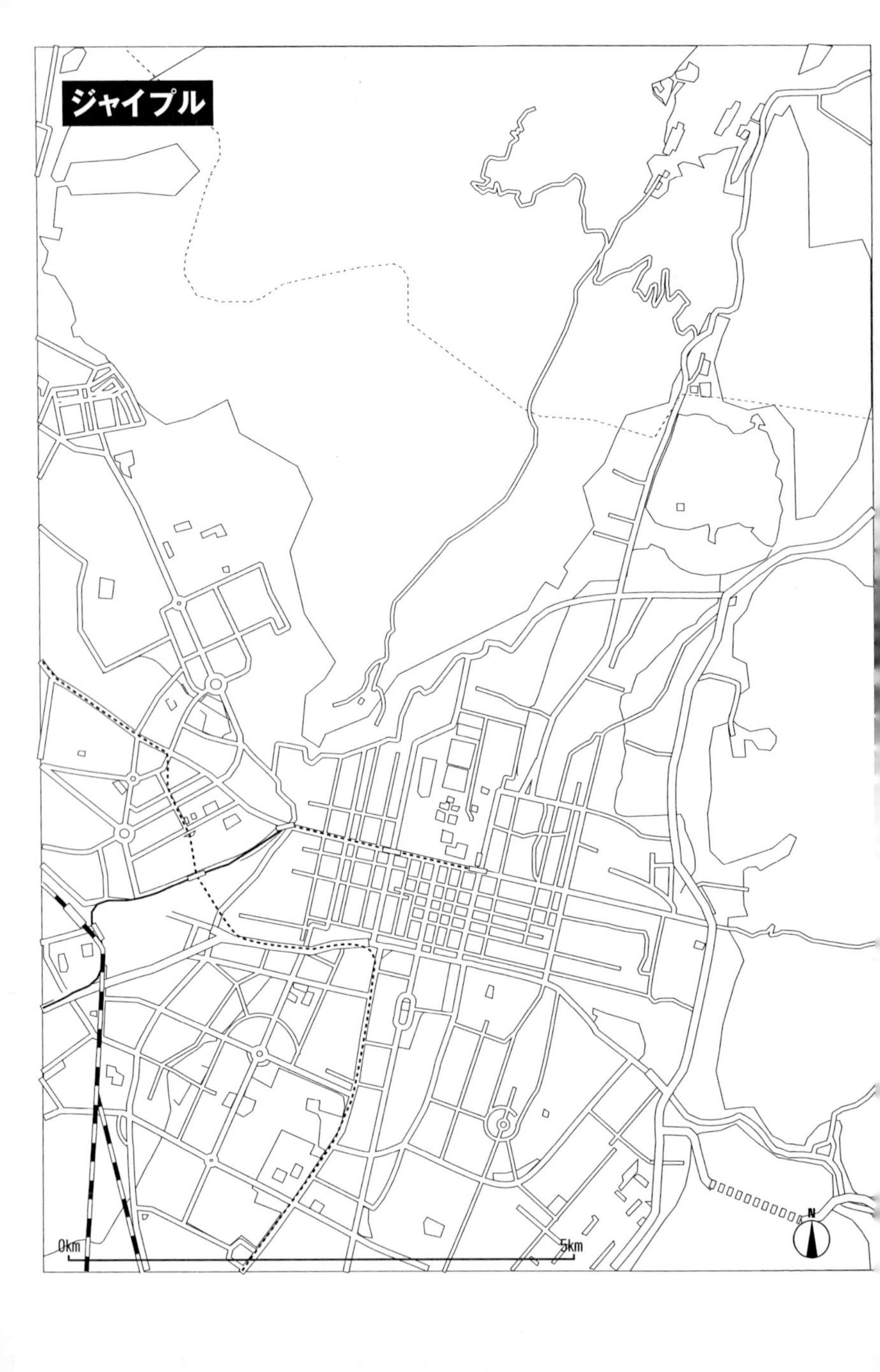
ジャイプル
0km
5km
N

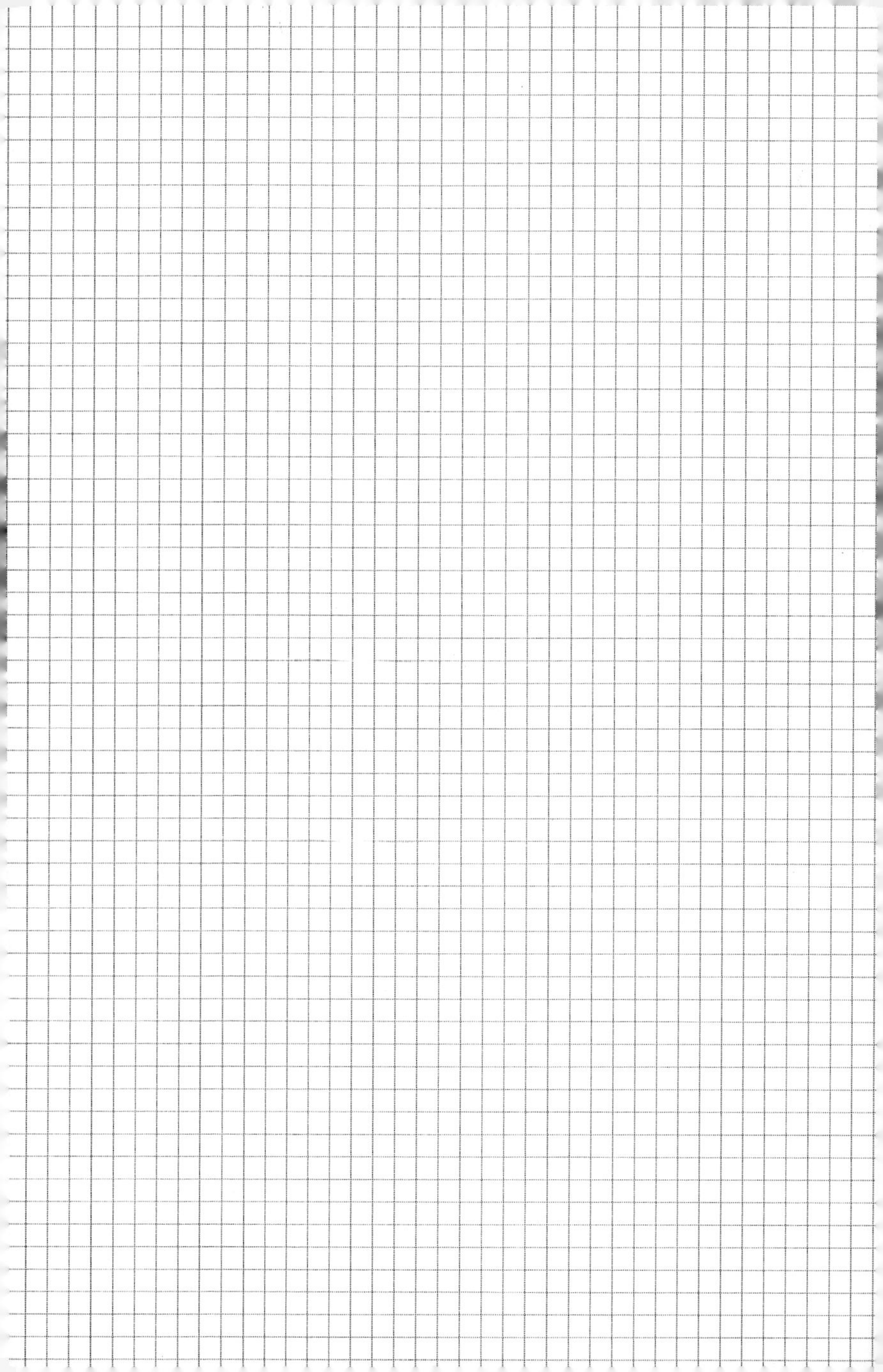

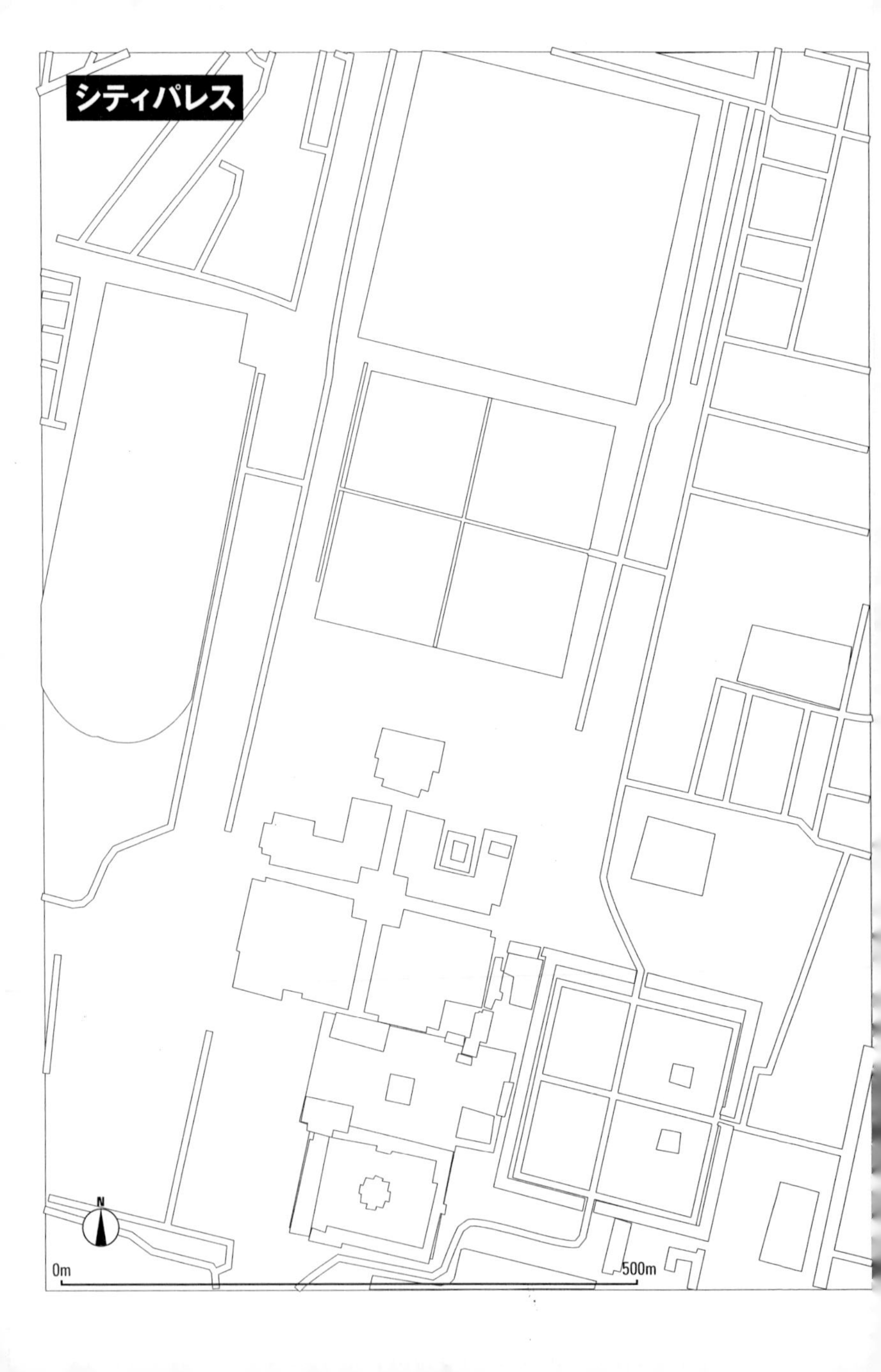
シティパレス
N
0m
500m

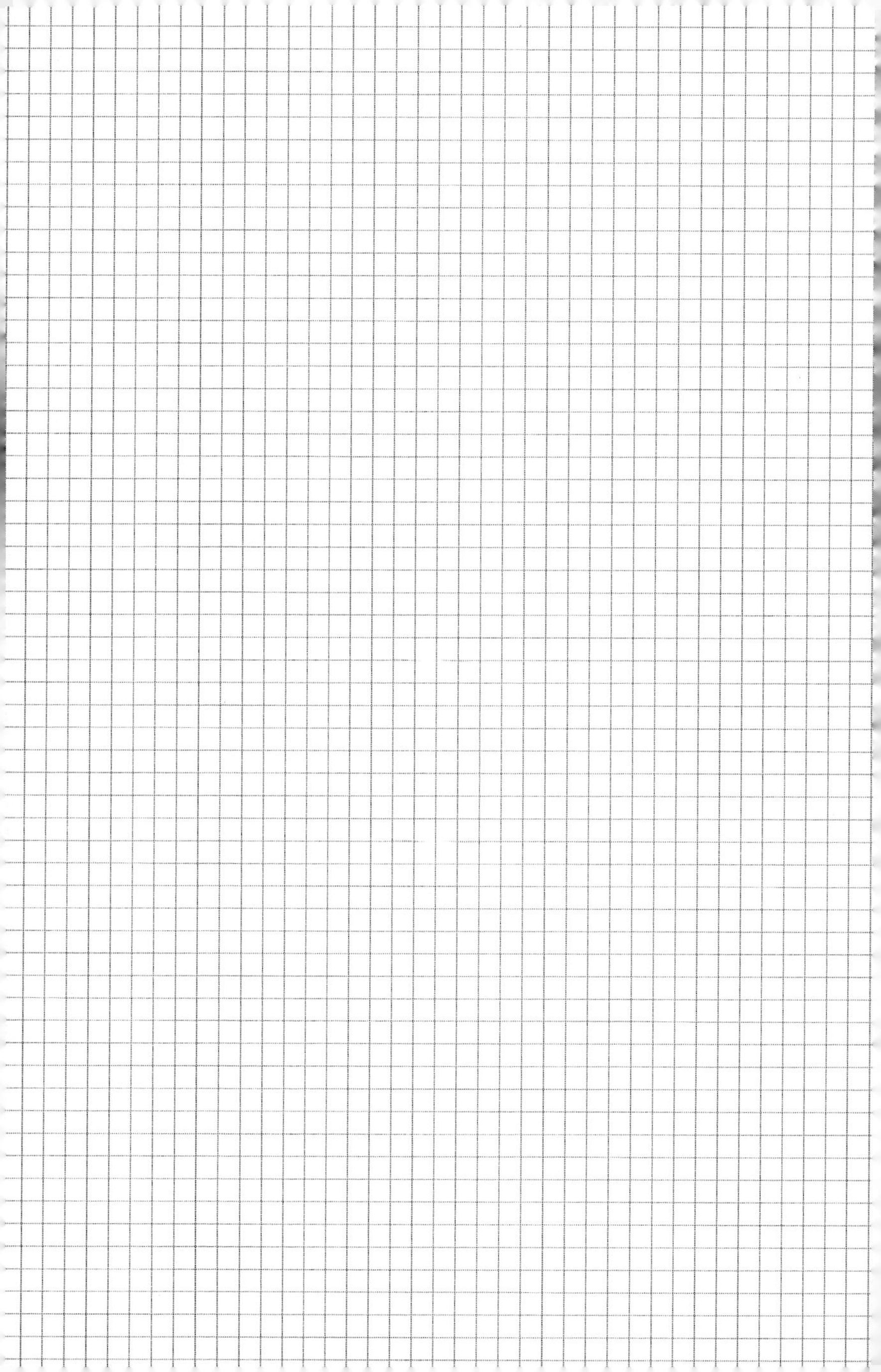

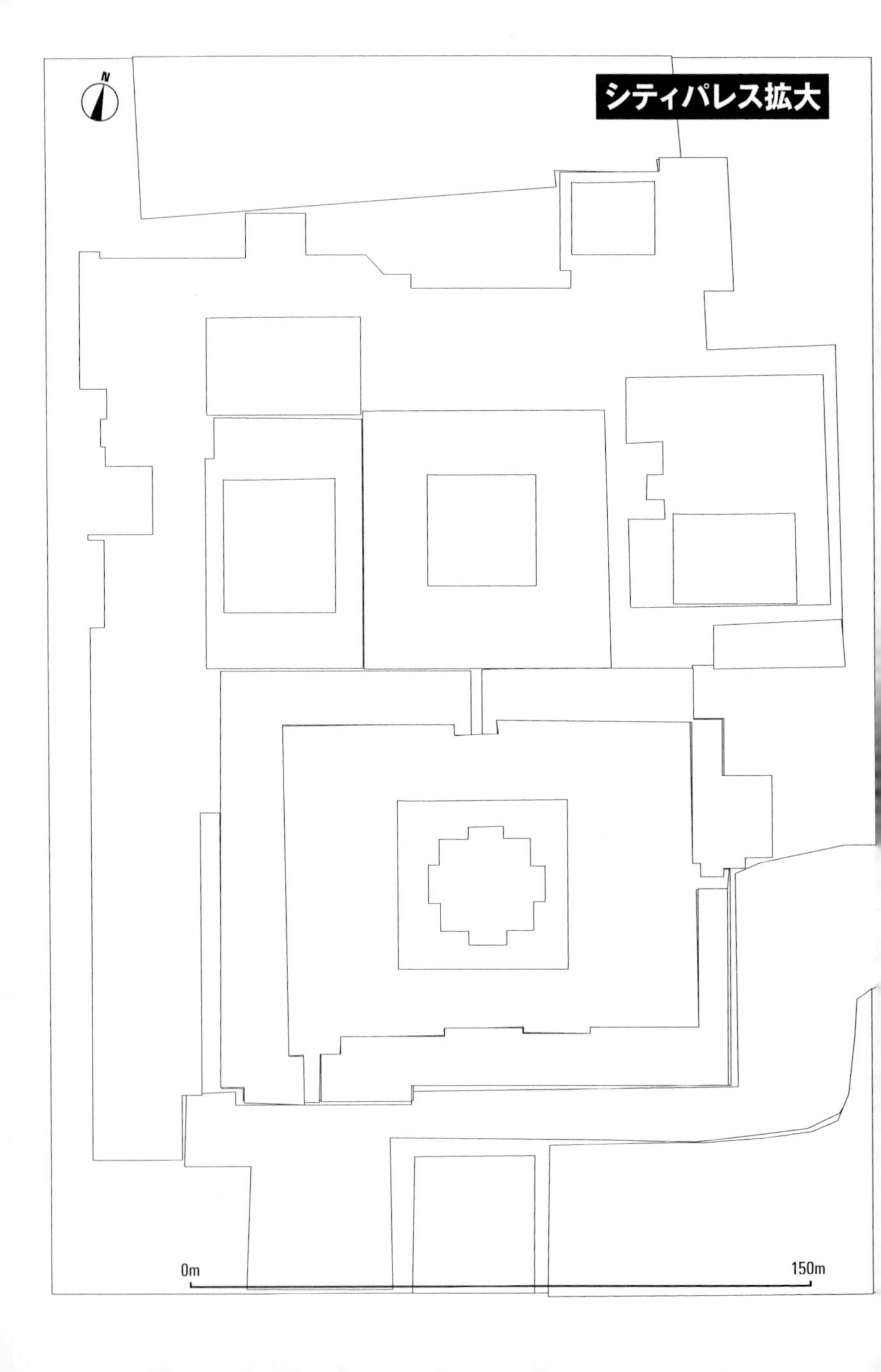
シティパレス拡大
N
0m
150m

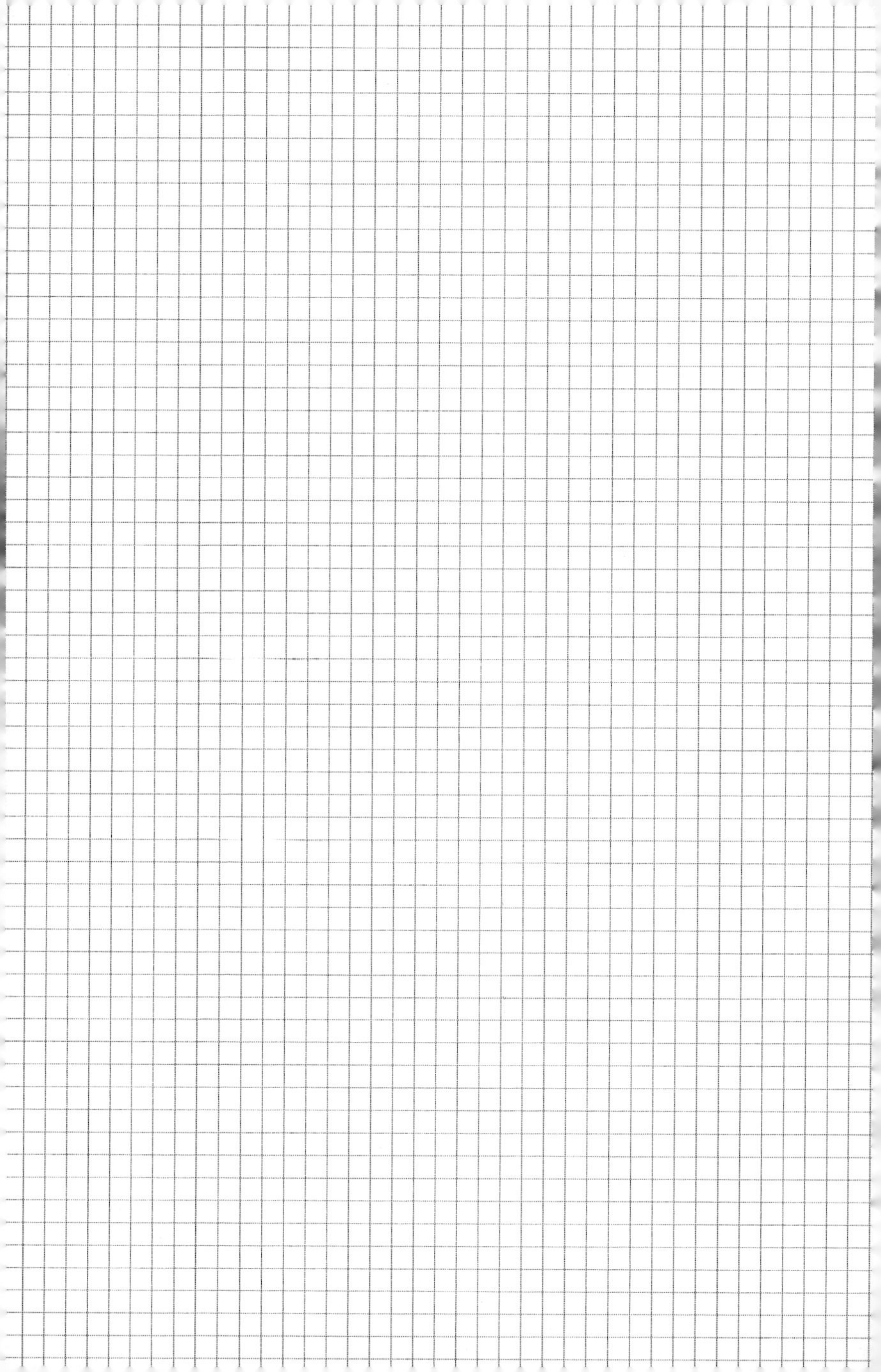

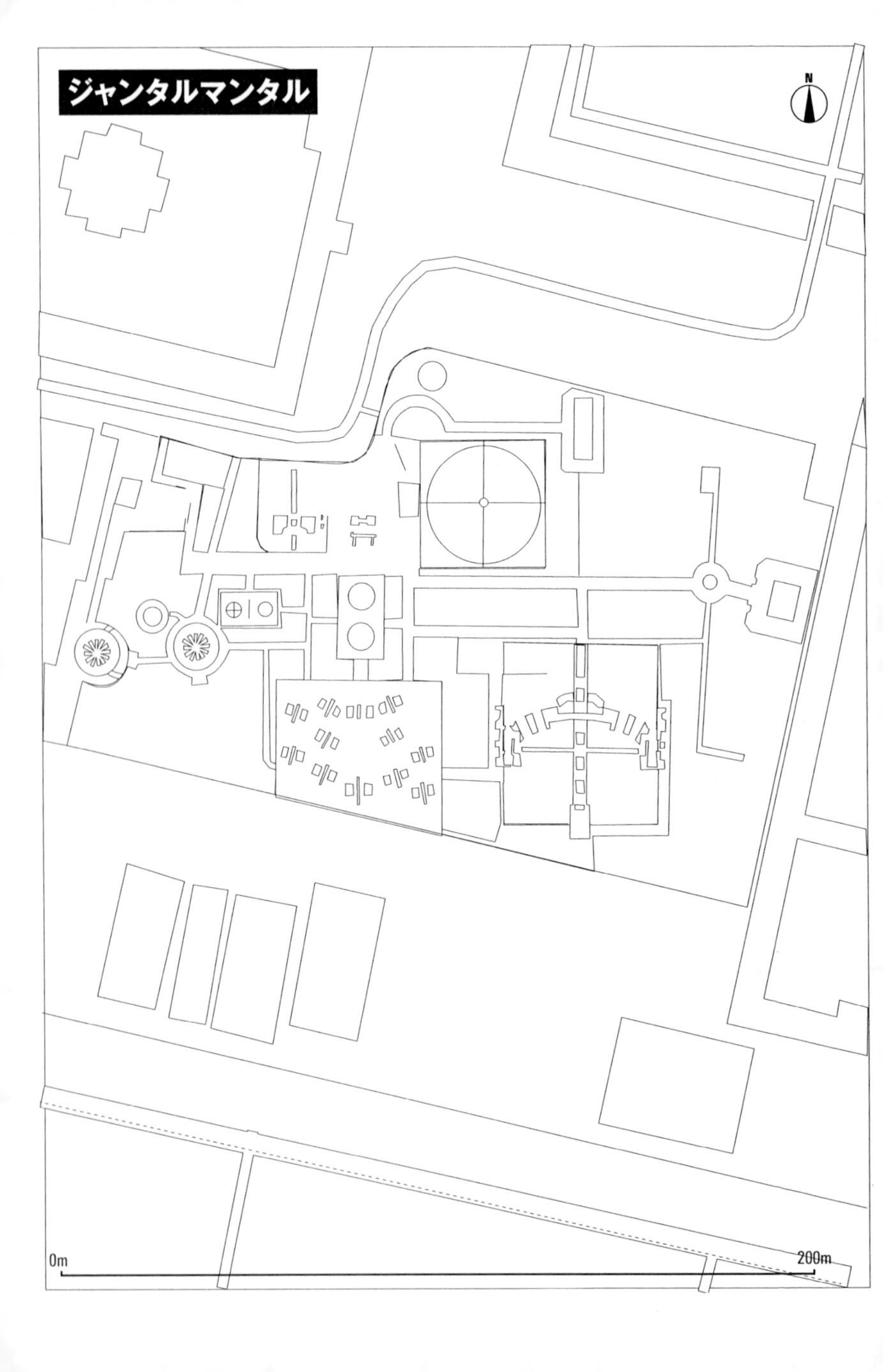
ジャンタルマンタル
N
0m
200m

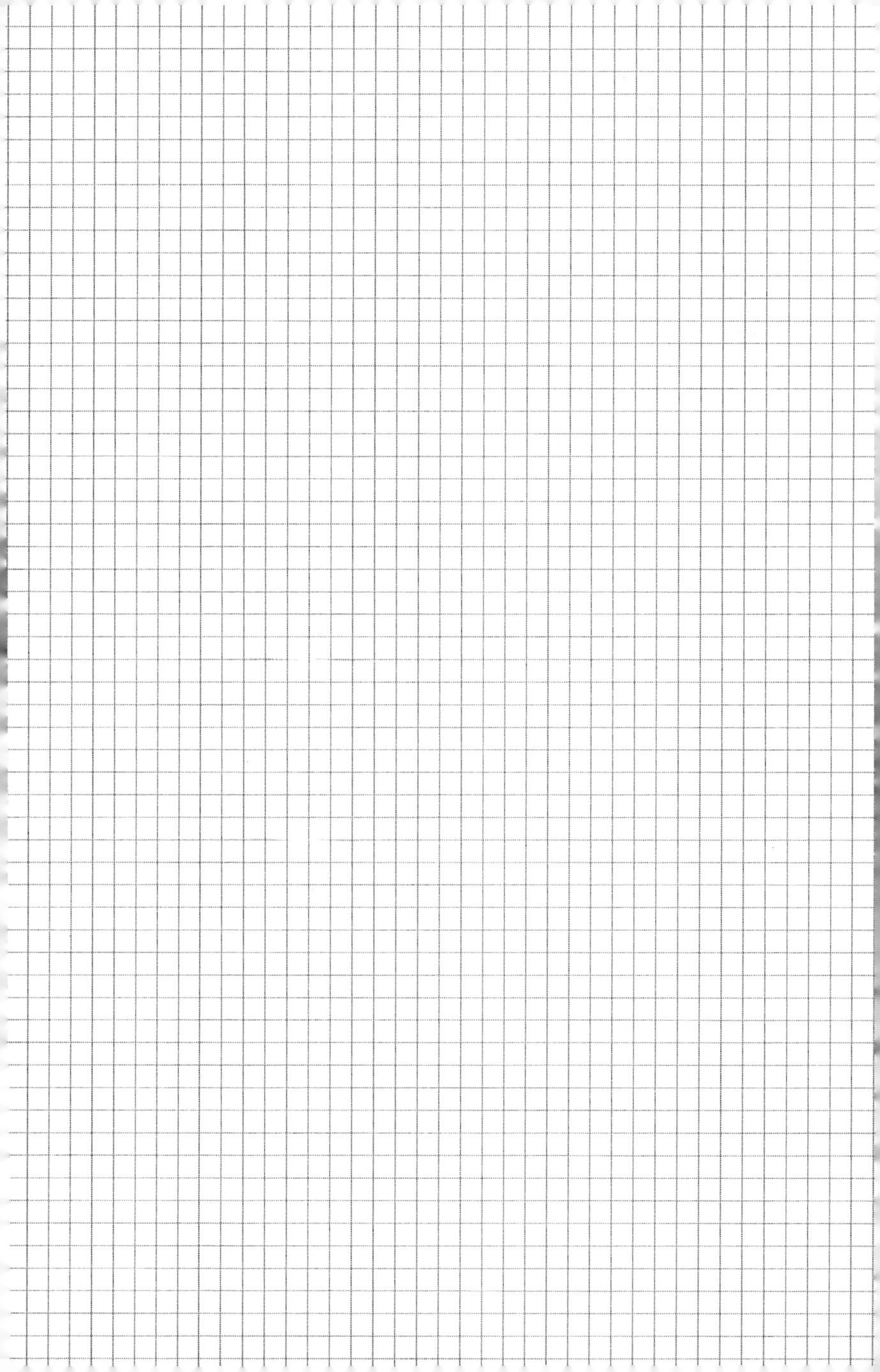

N
ラシヴァラヤ
ヤントラ
0m
30m

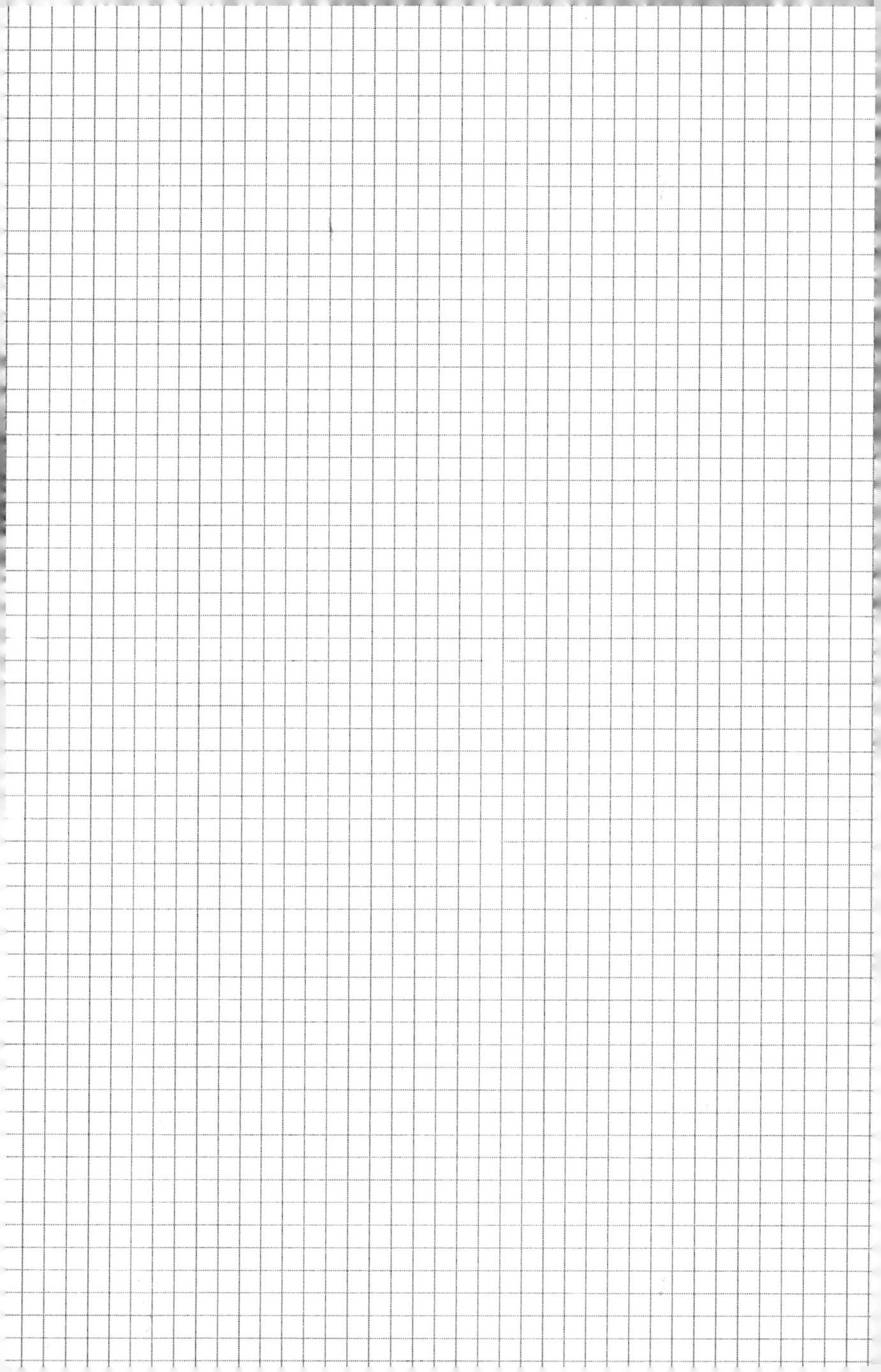

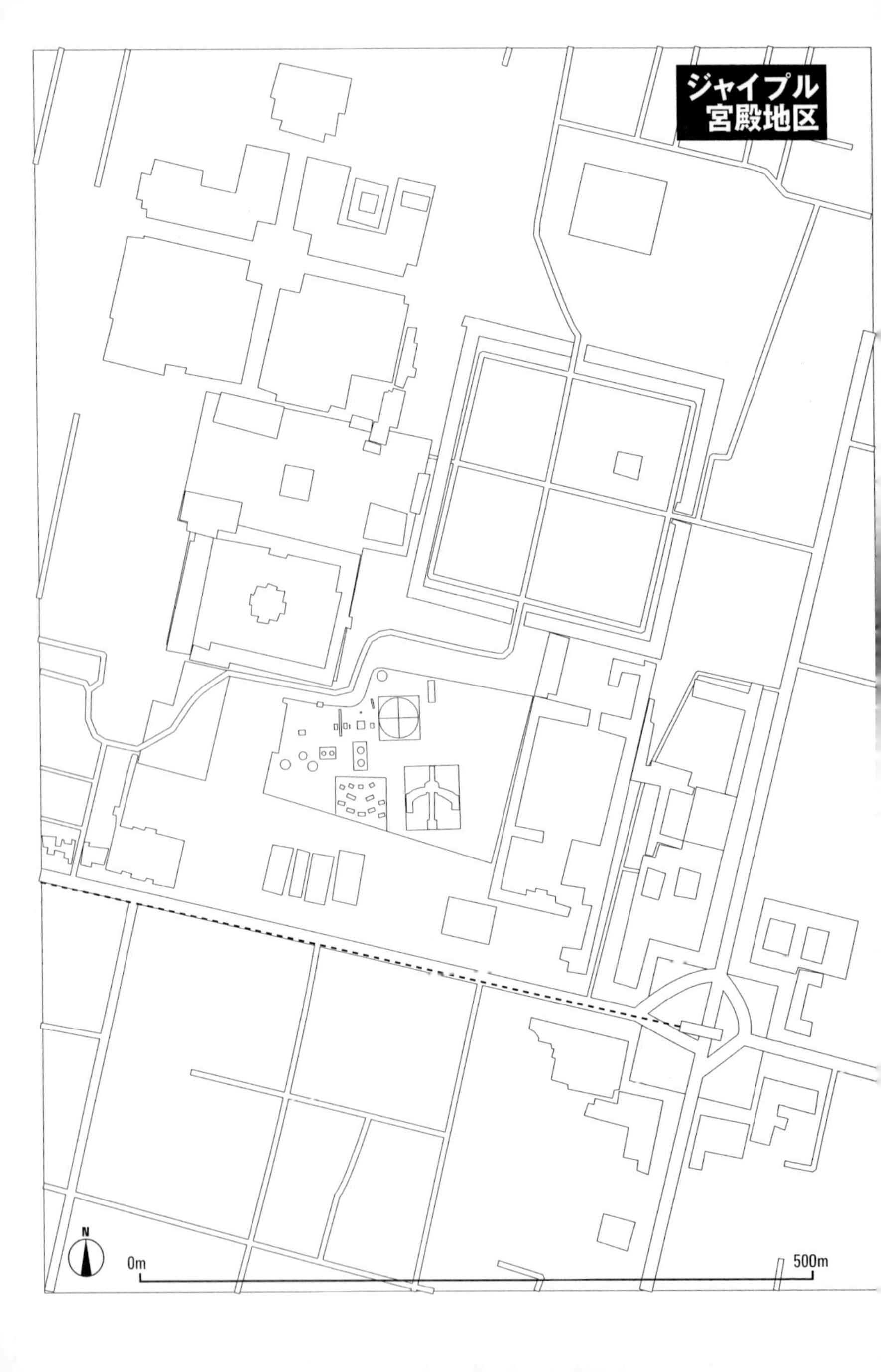
ジャイプル
宮殿地区
N
0m
500m

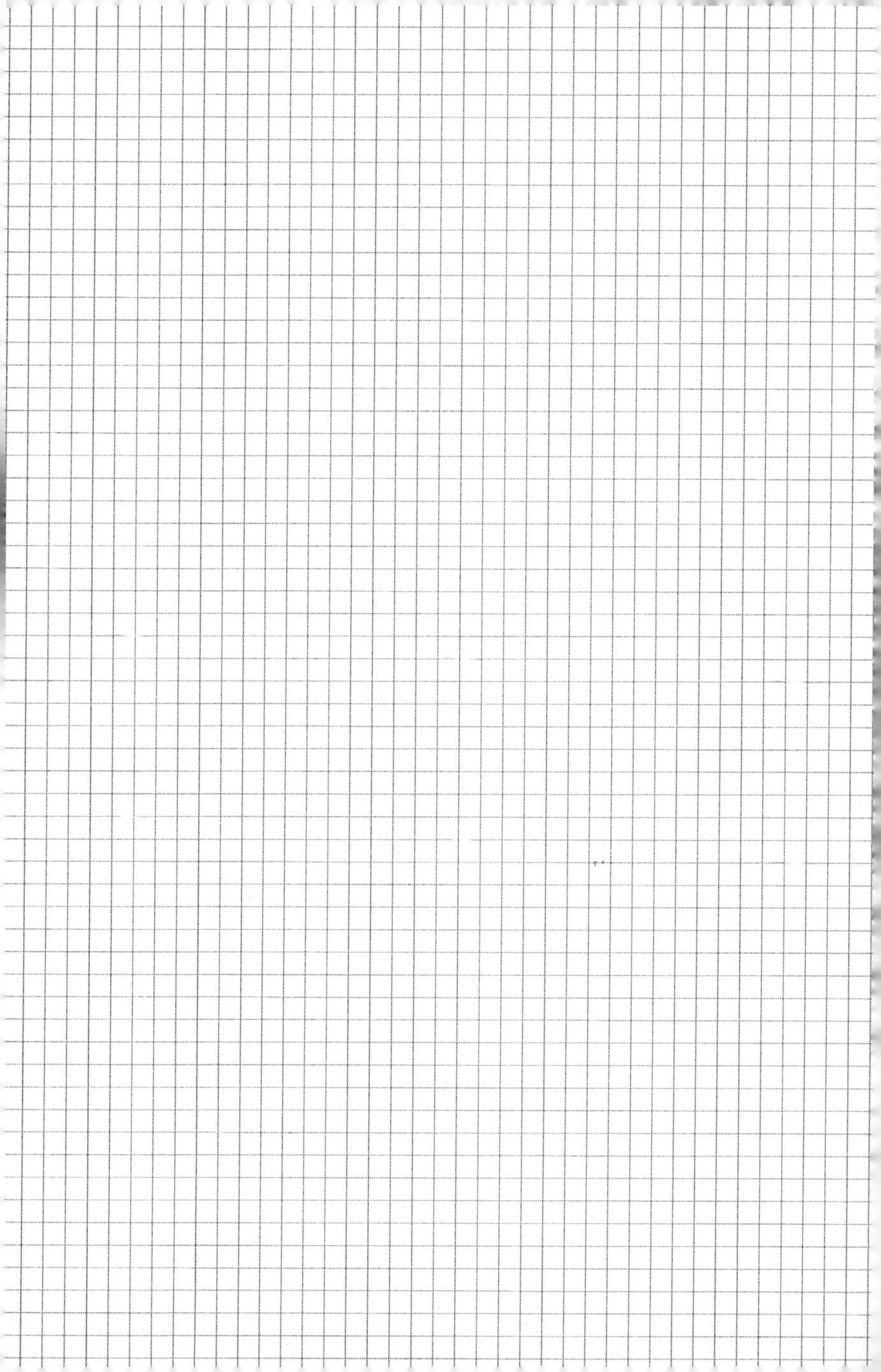

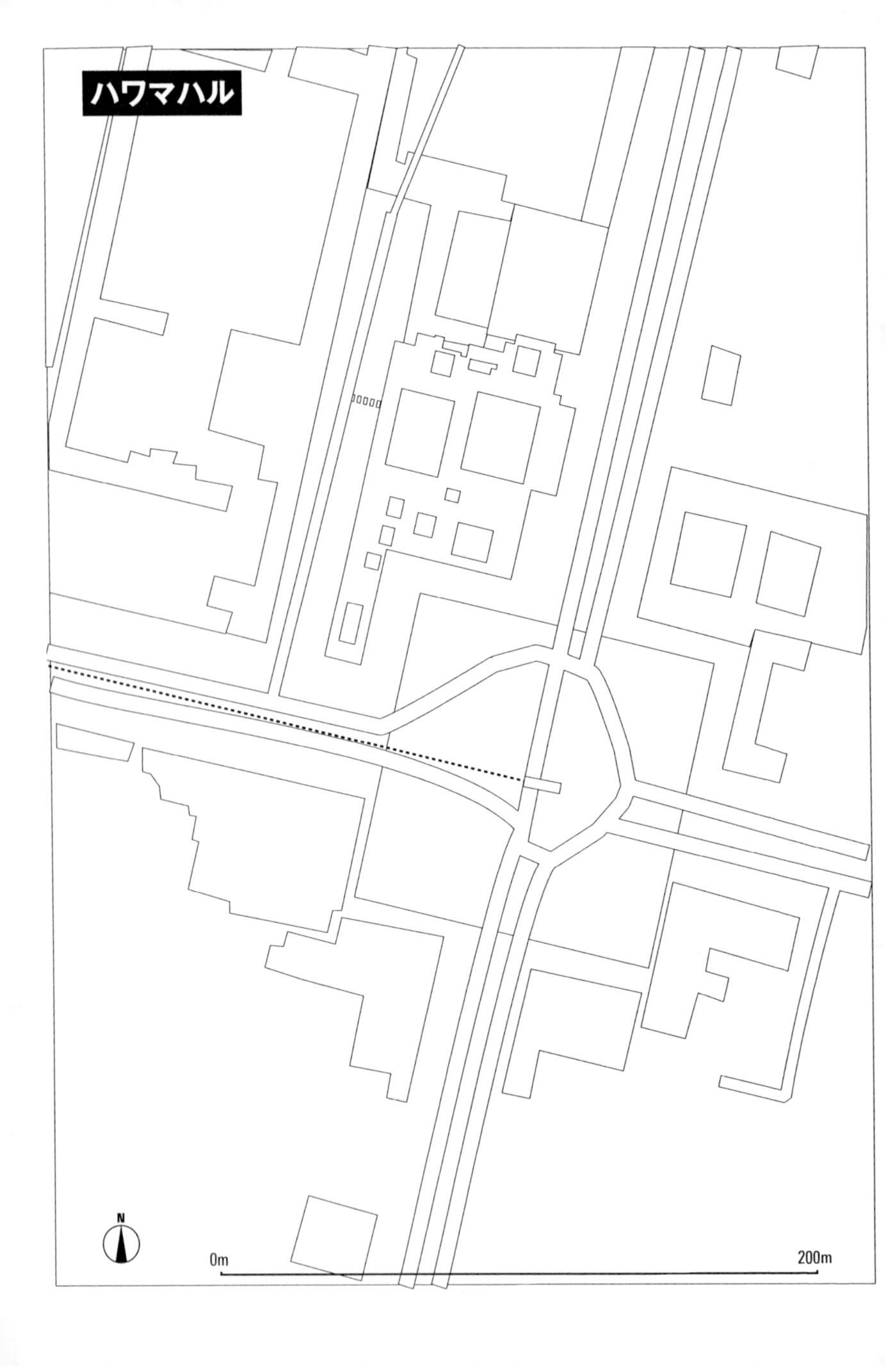
ハワマハル
N
0m
200m

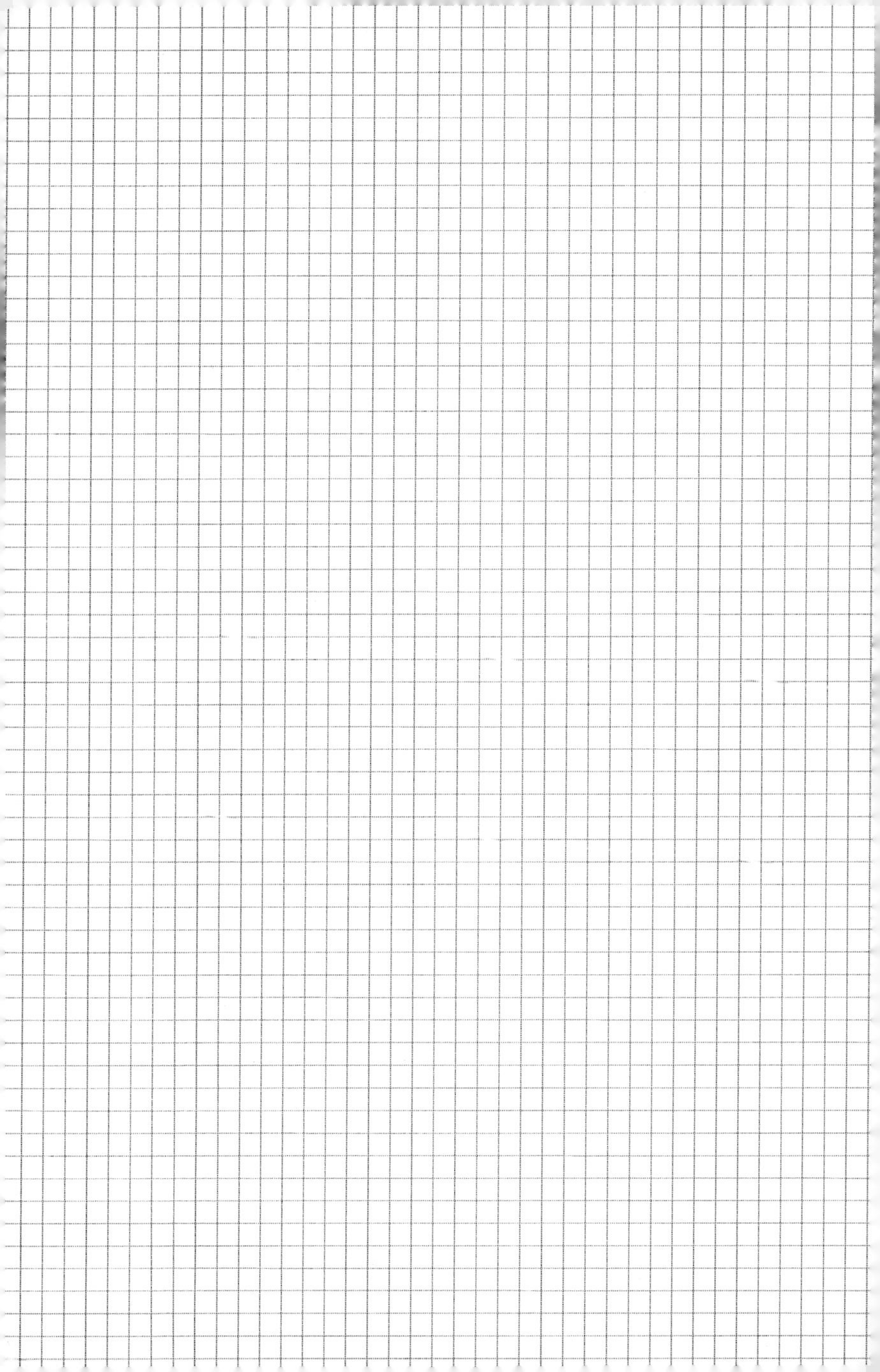

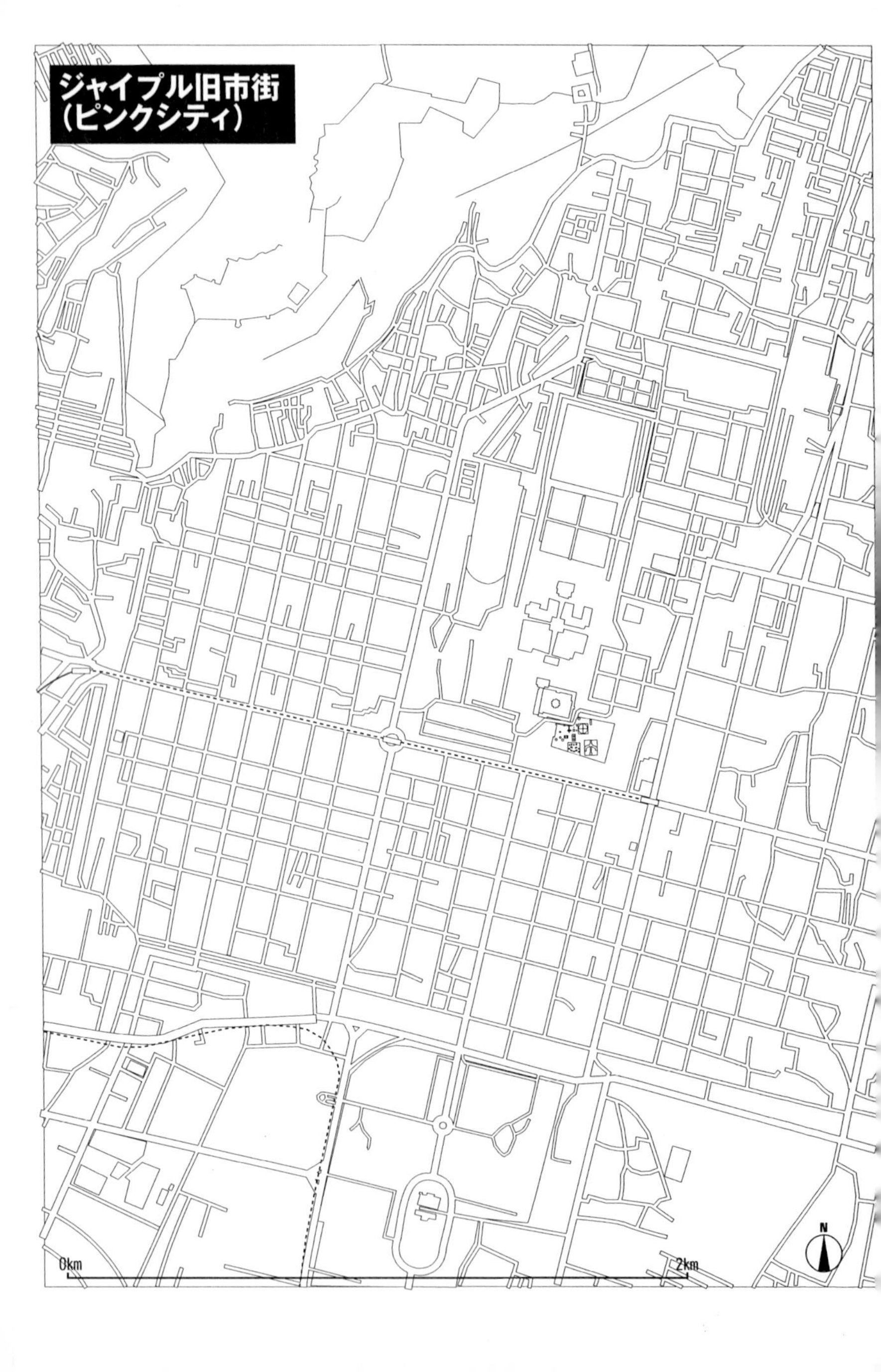
ジャイプル旧市街
(ピンクシティ)
N
0km
2km

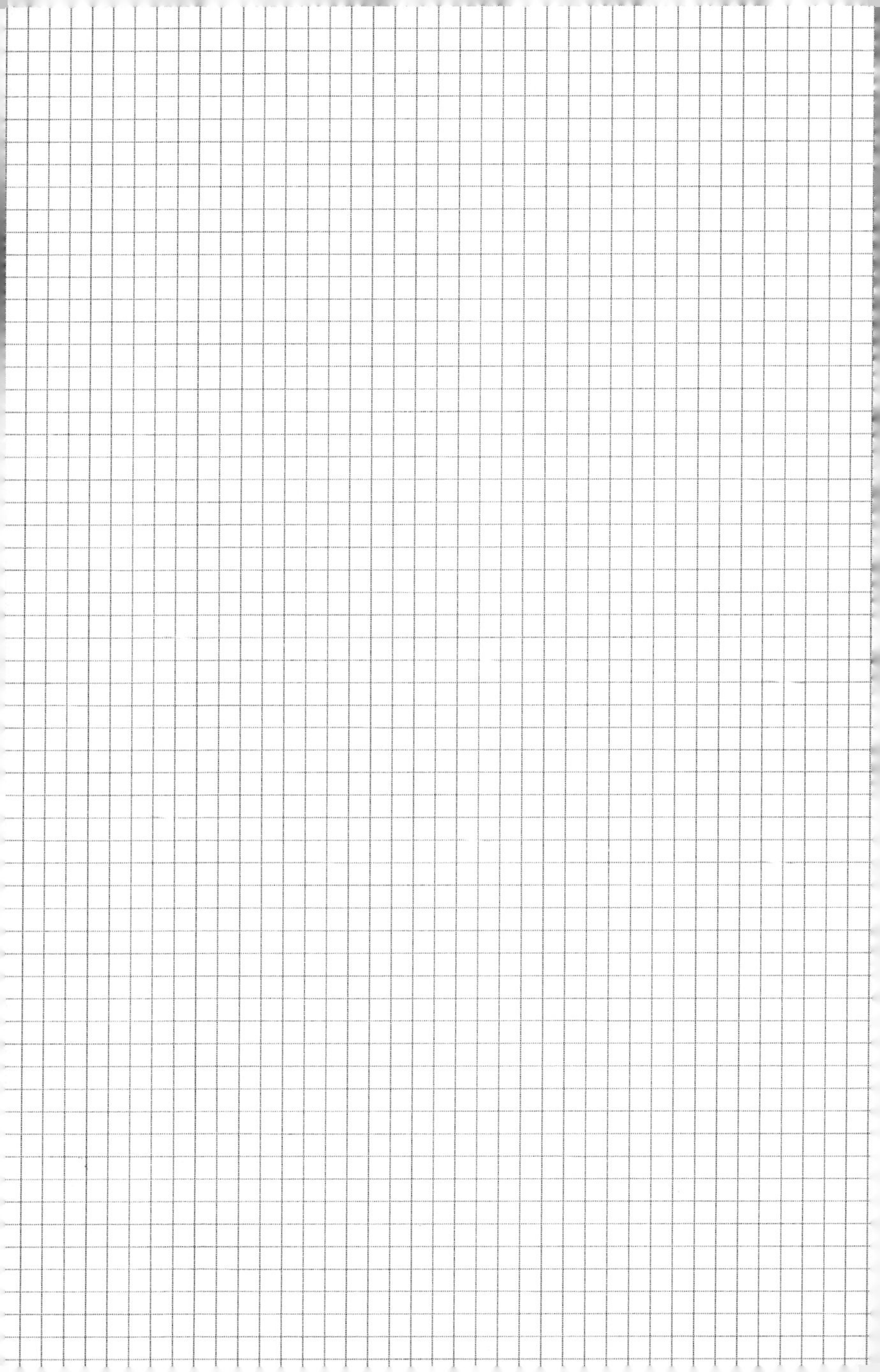

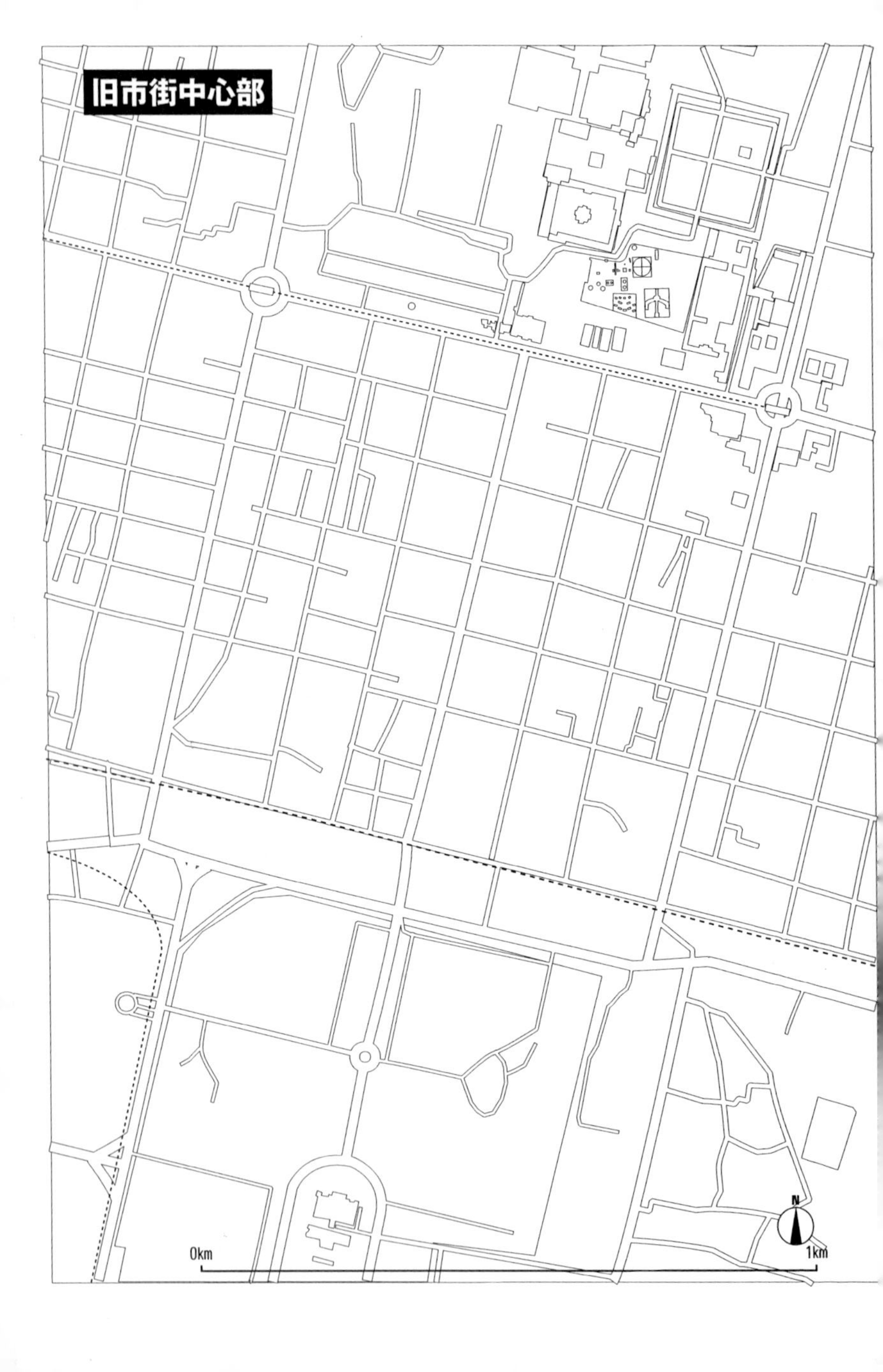
旧市街中心部
N
0km
1km

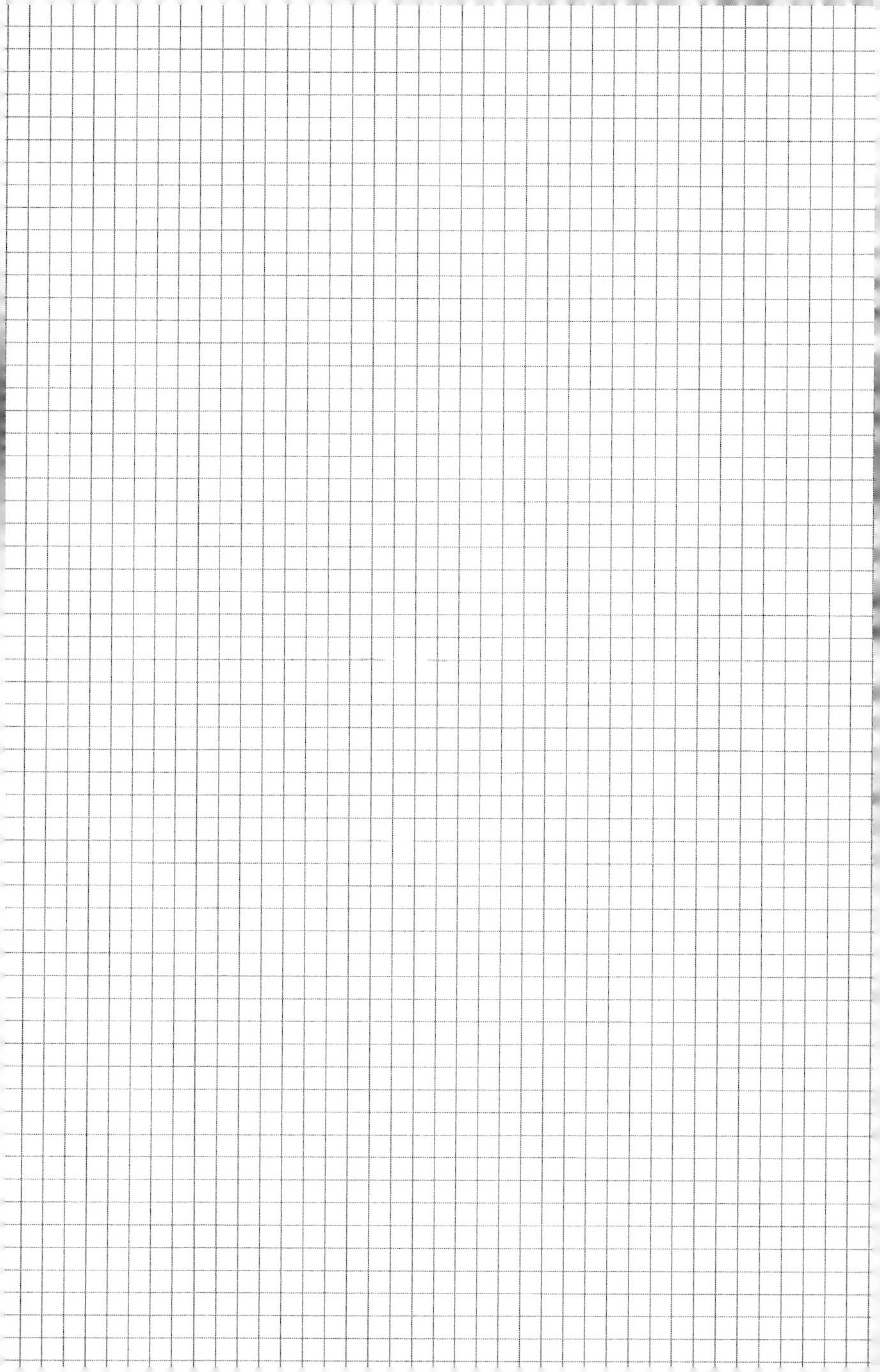

MIロード
N
0km
1km
N
0km
3km

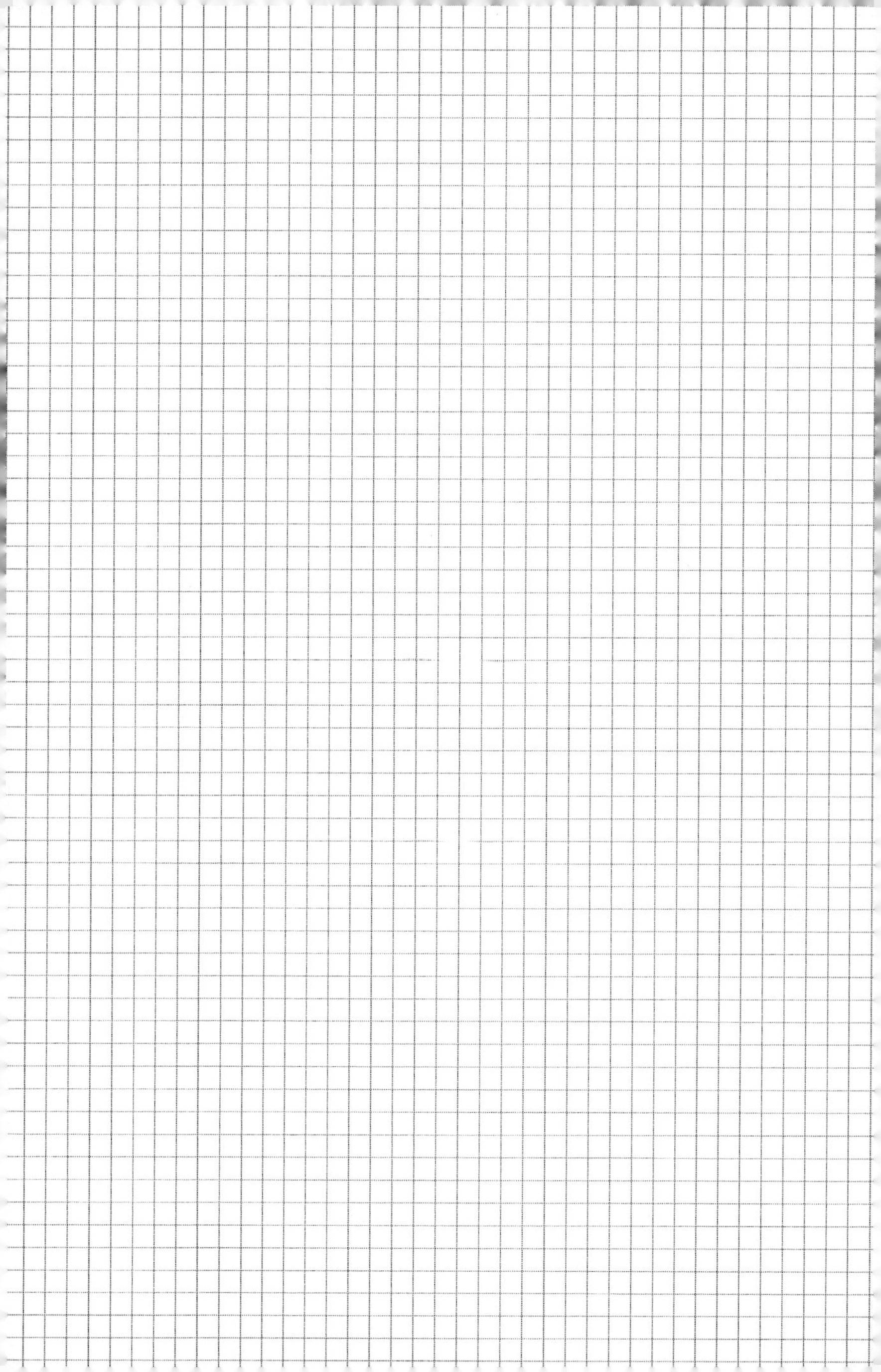

ラームニワス
N
0m
500m

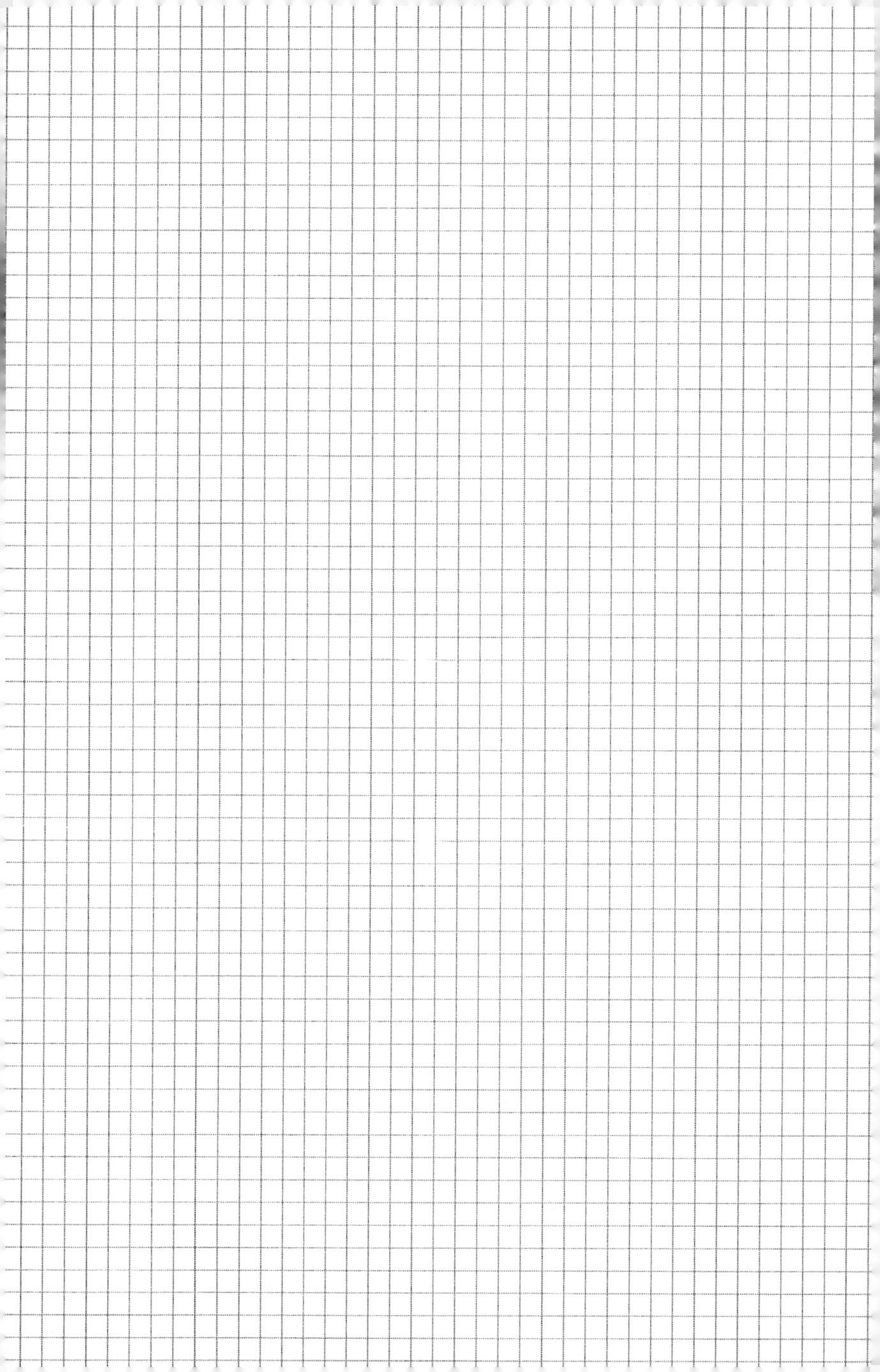

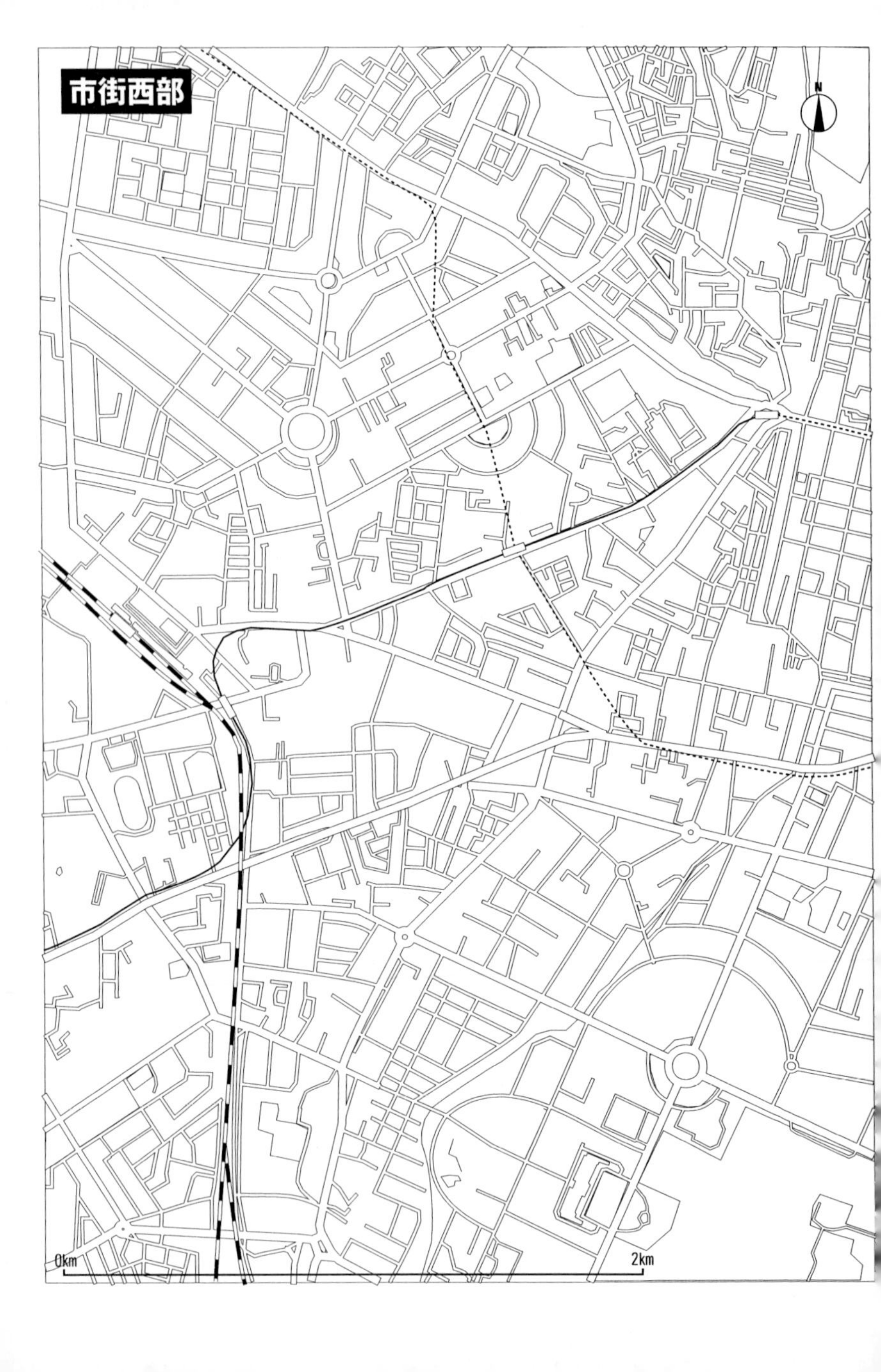
市街西部
N
0km
2km

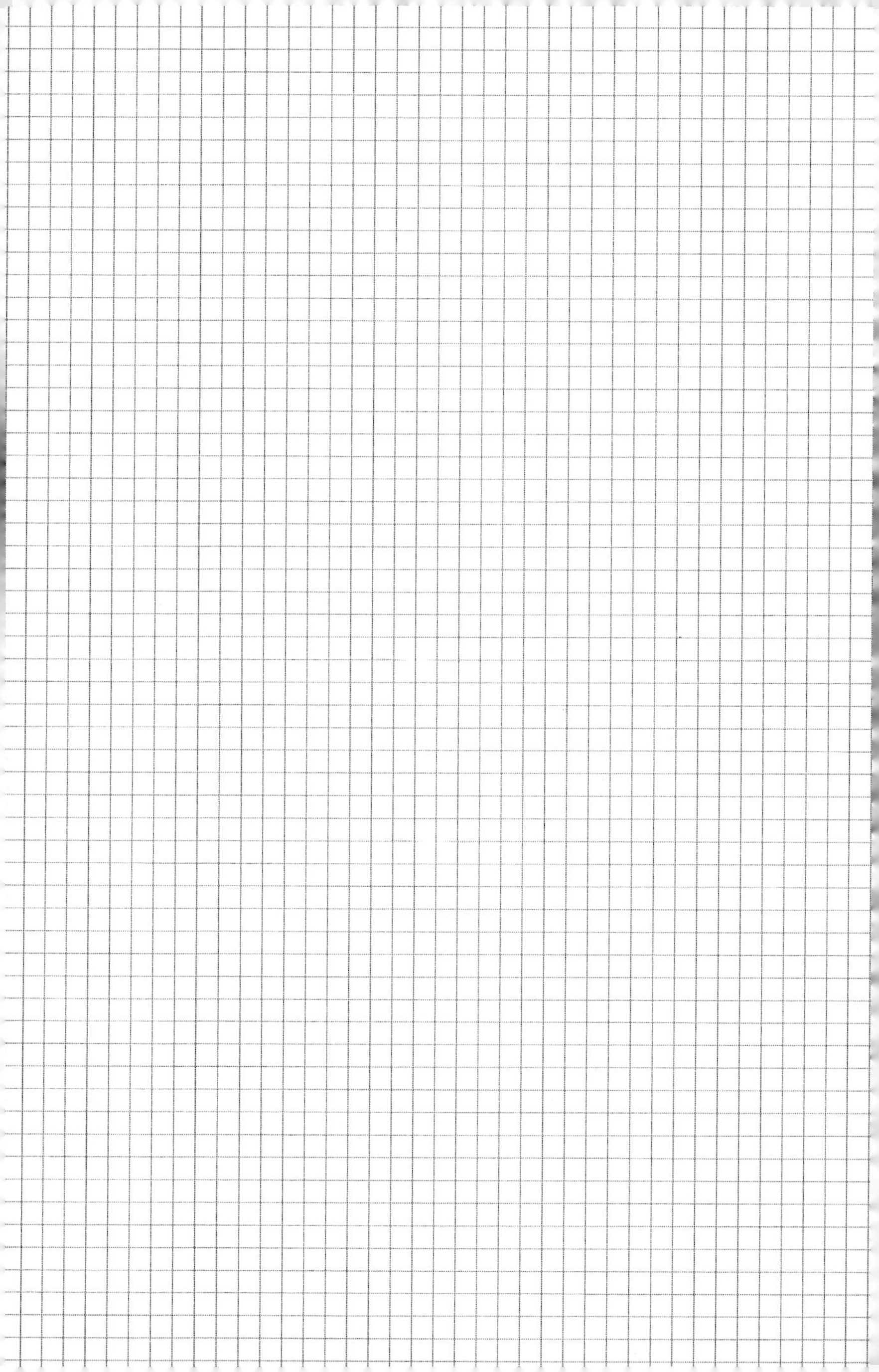

市街南部
0km
3km
N

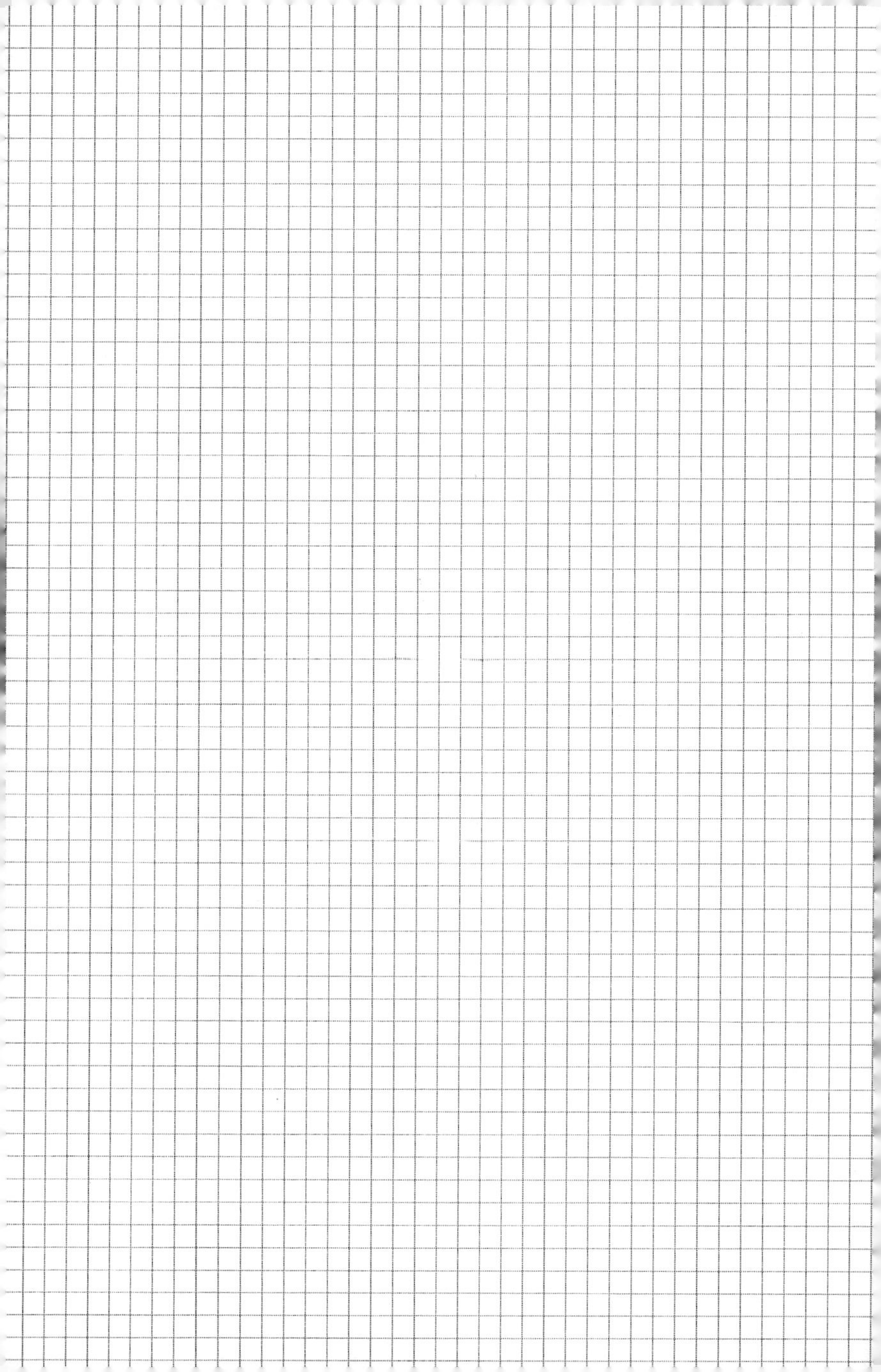

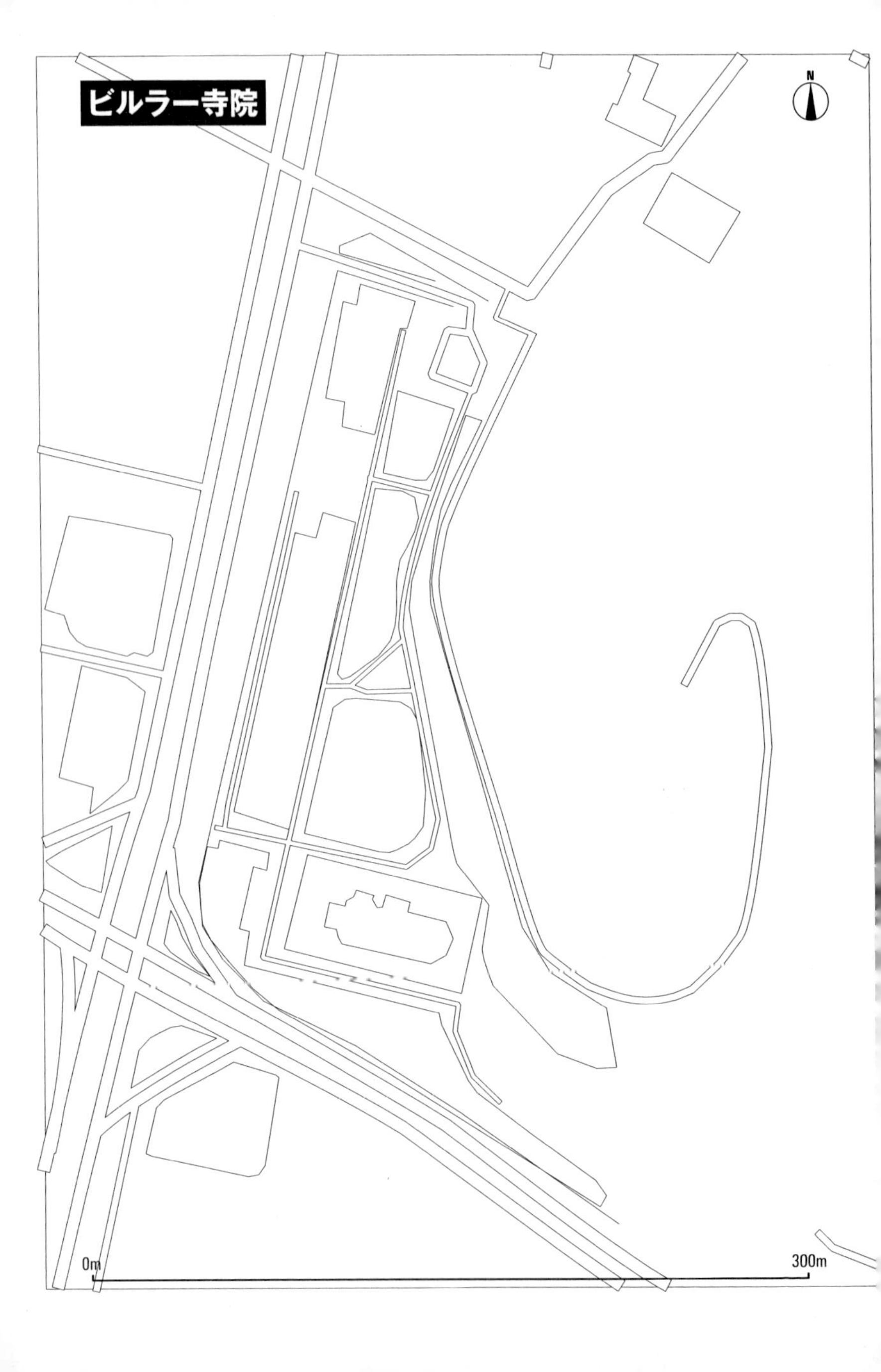
ビルラー寺院
N
0m
300m

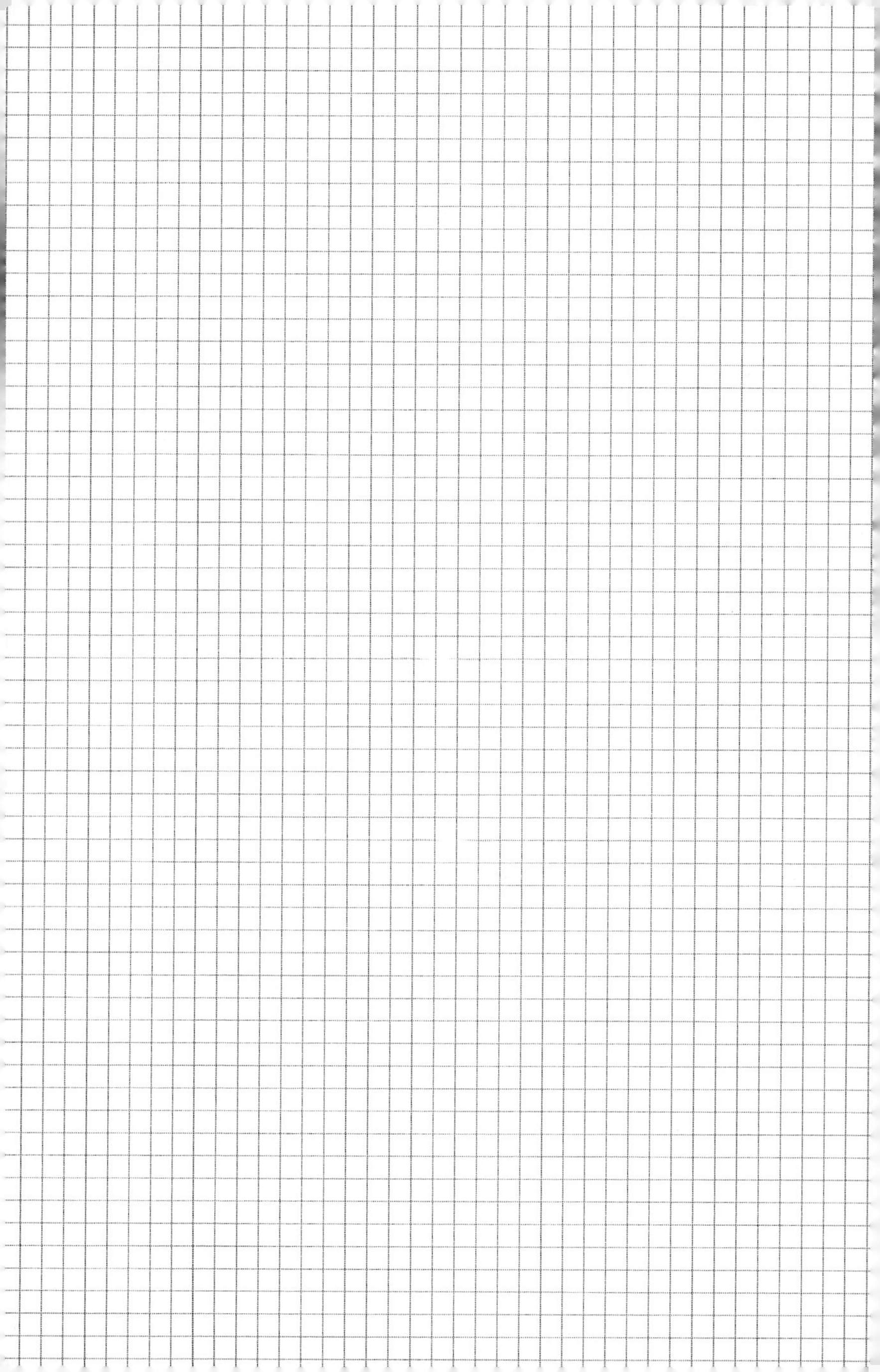

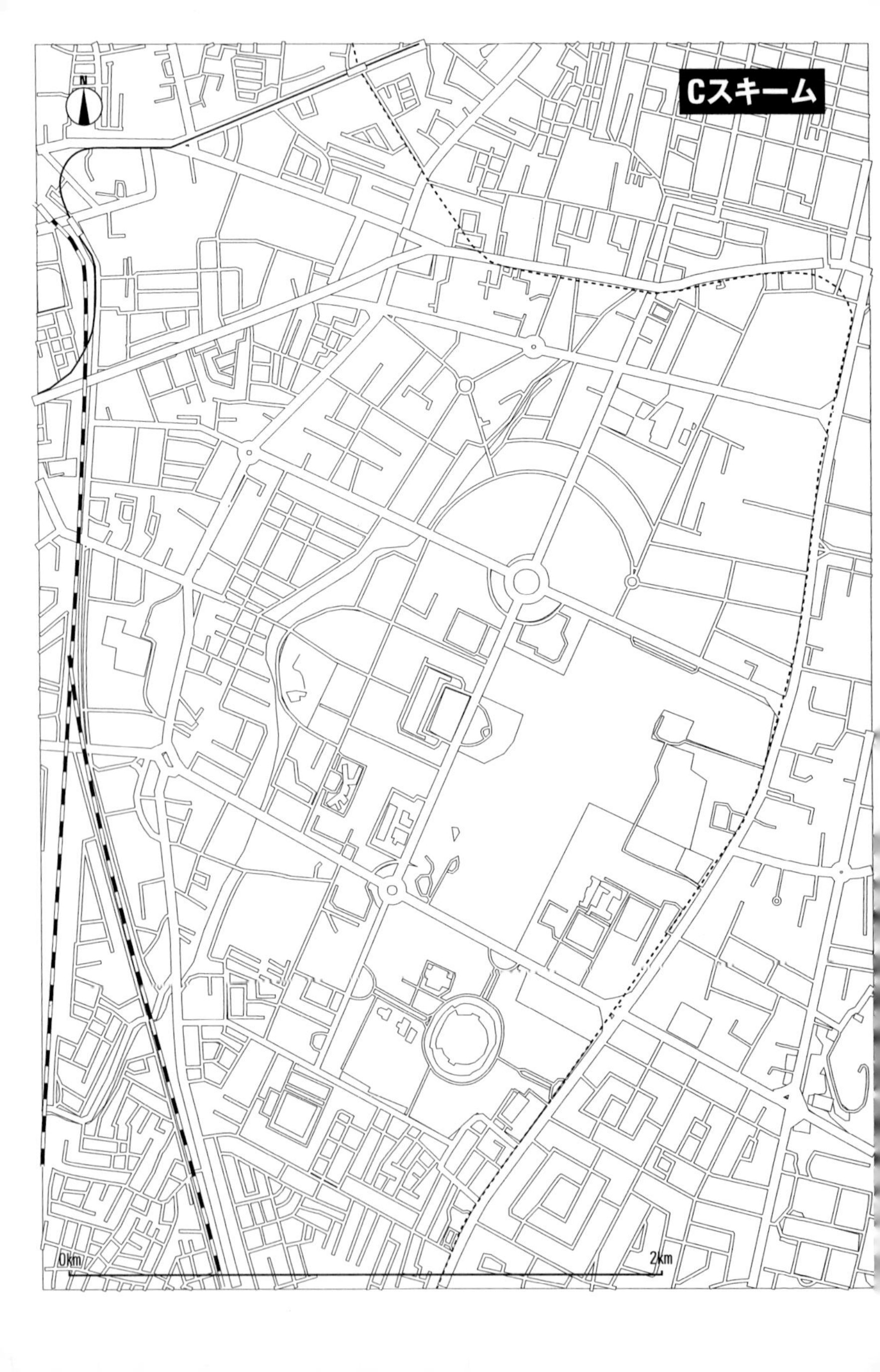
Cスキーム
N
0km
2km

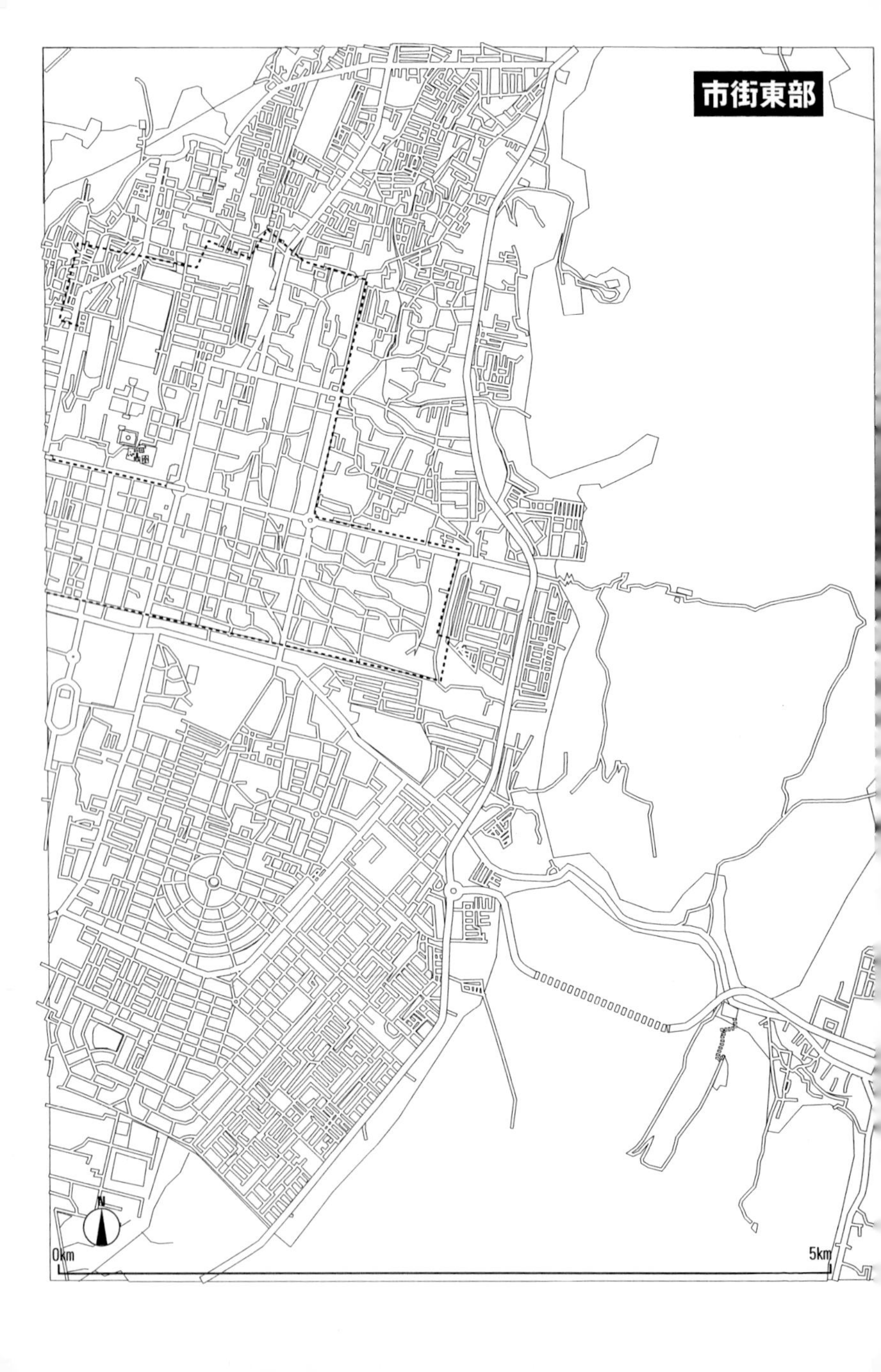
市街東部
N
0km
5km

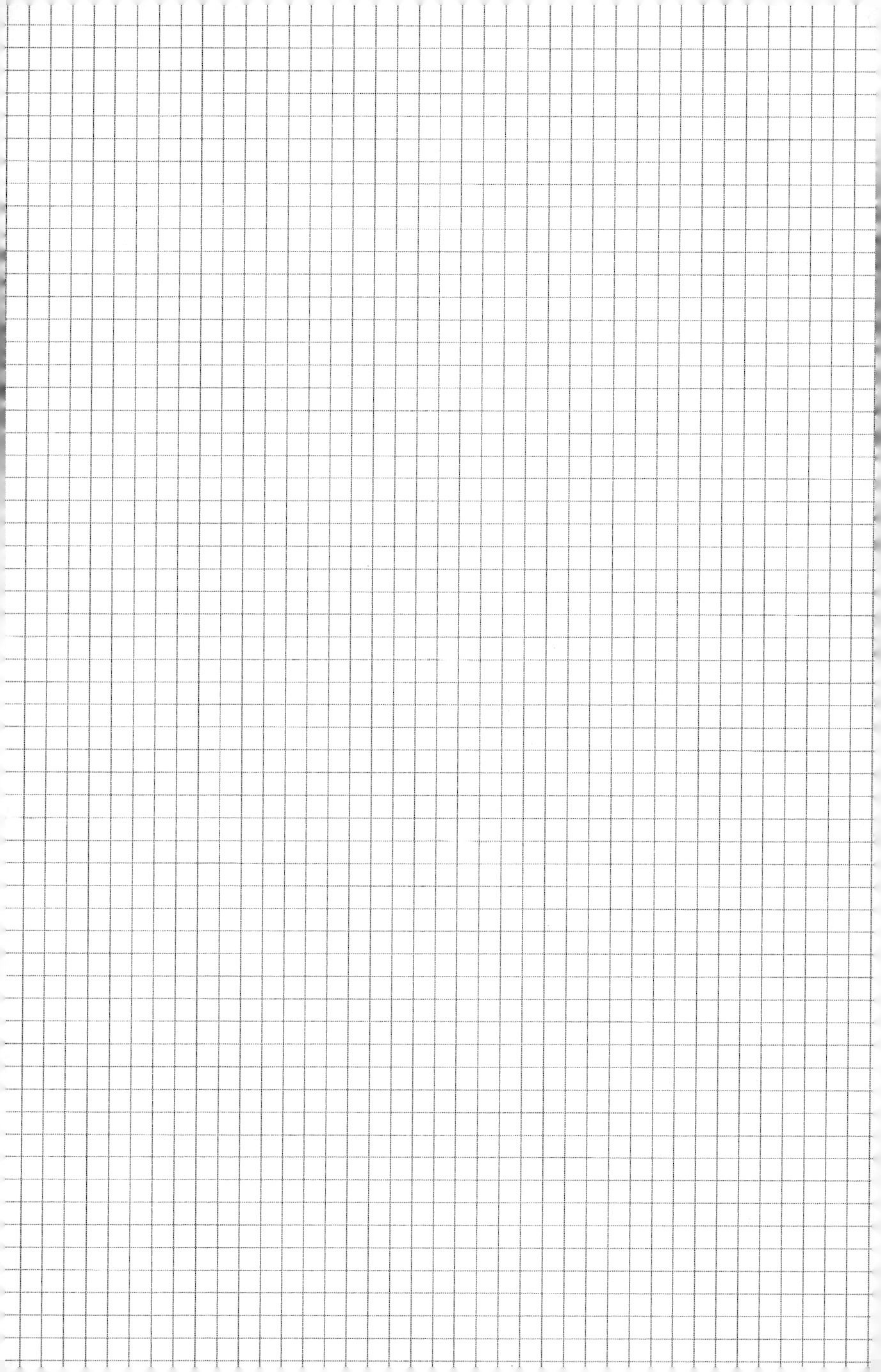

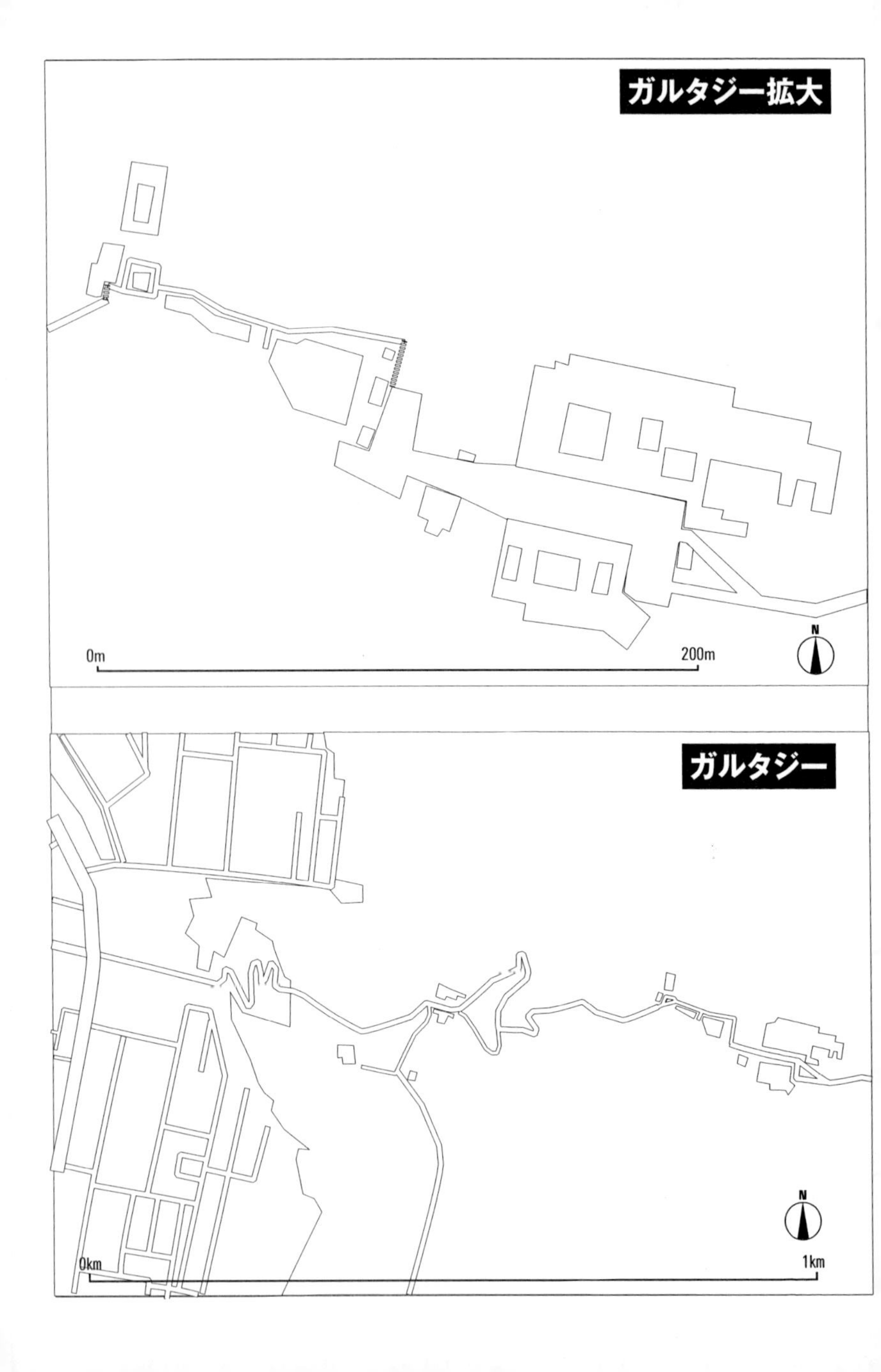
ガルタジー拡大
0m
200m
N
ガルタジー
N
0km
1km

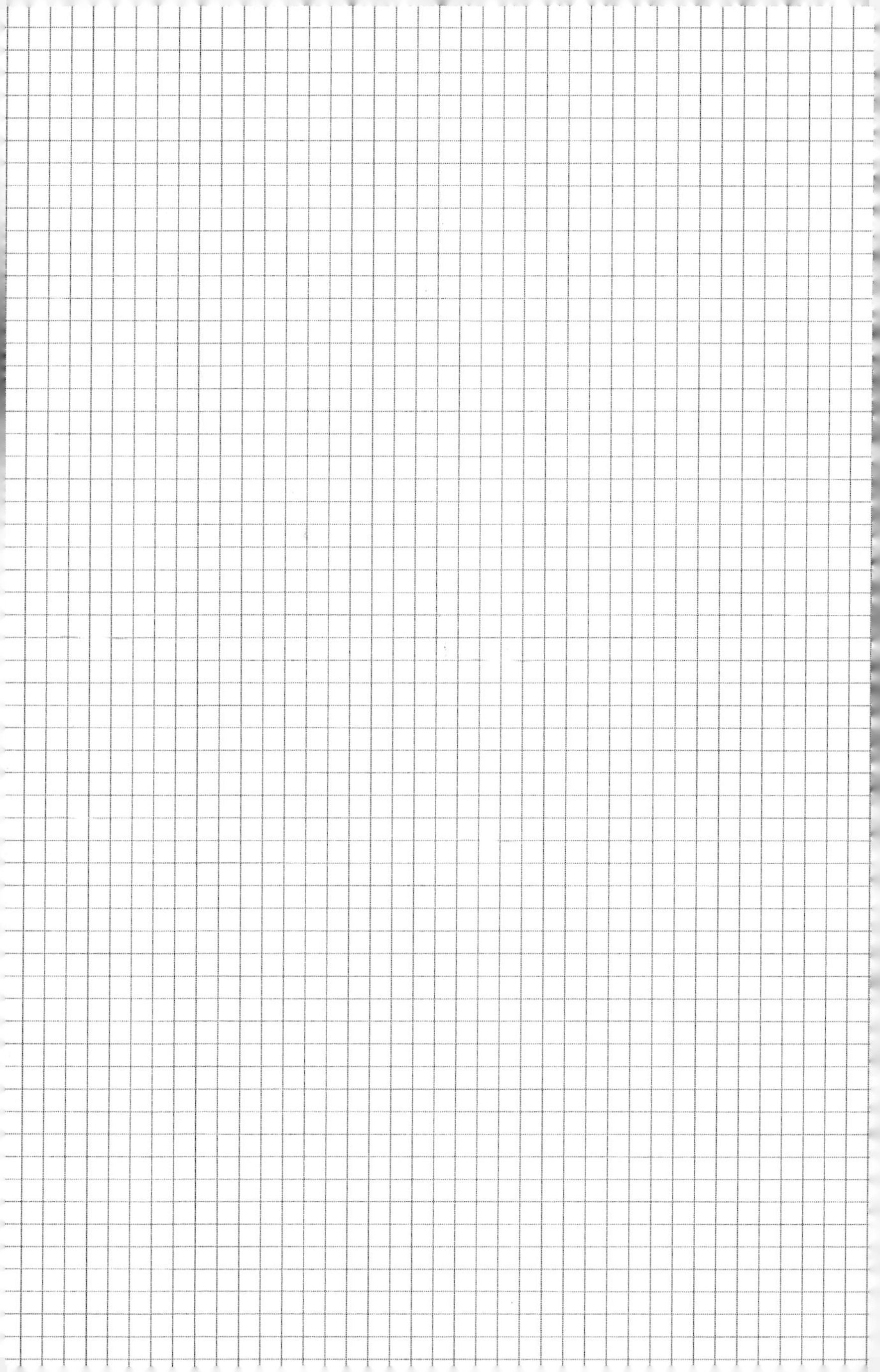

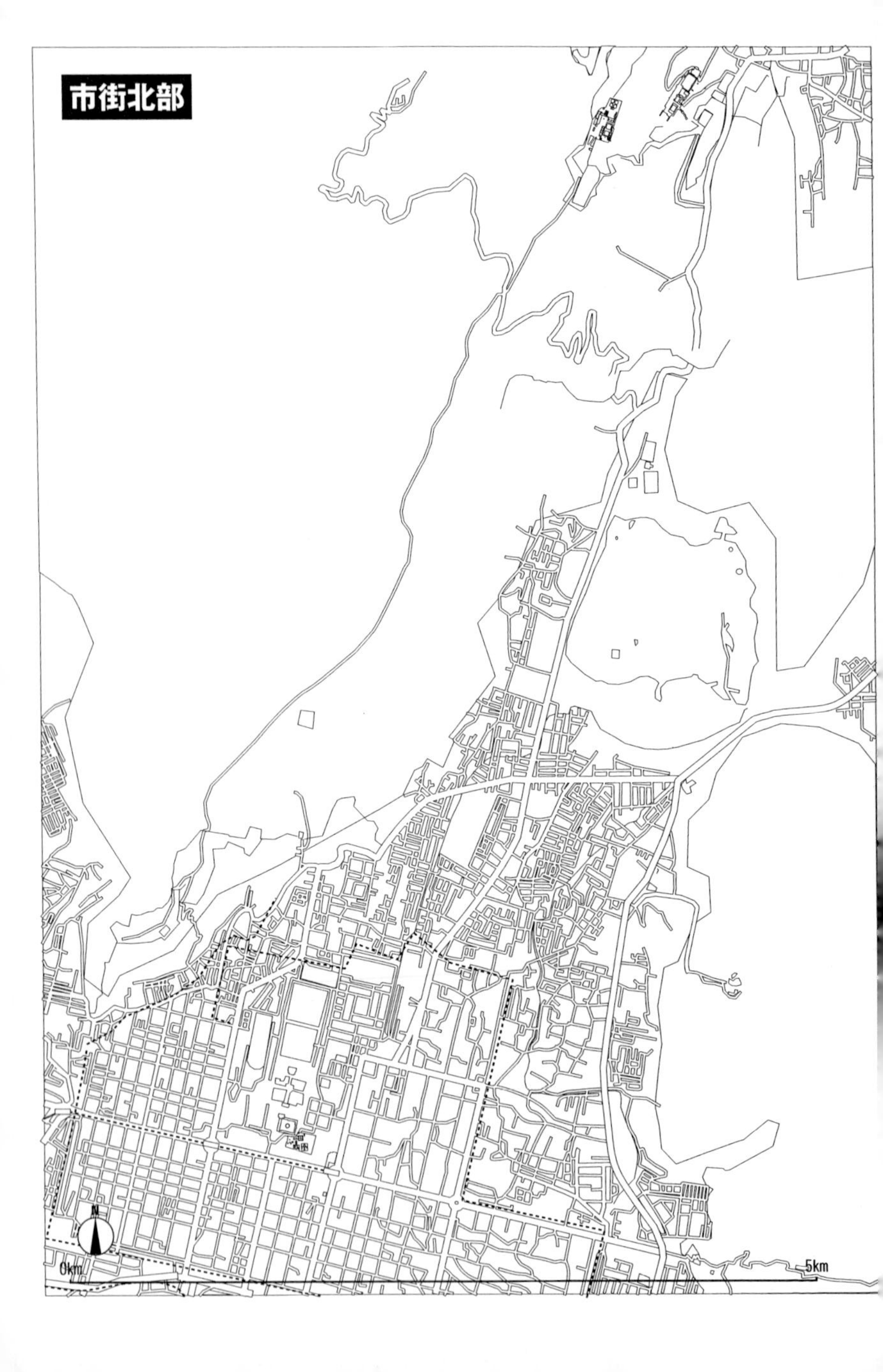
市街北部
N
0km
5km

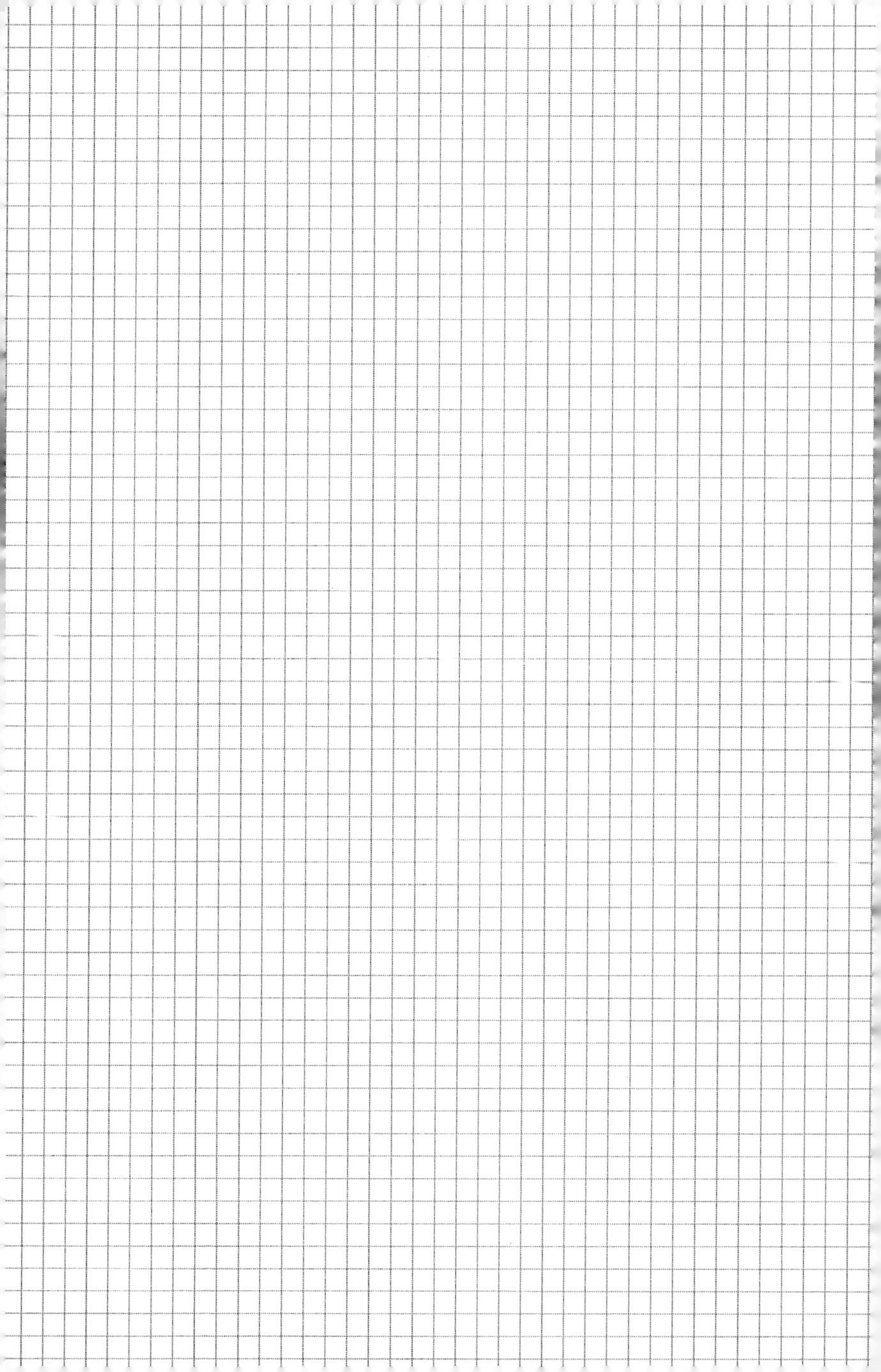

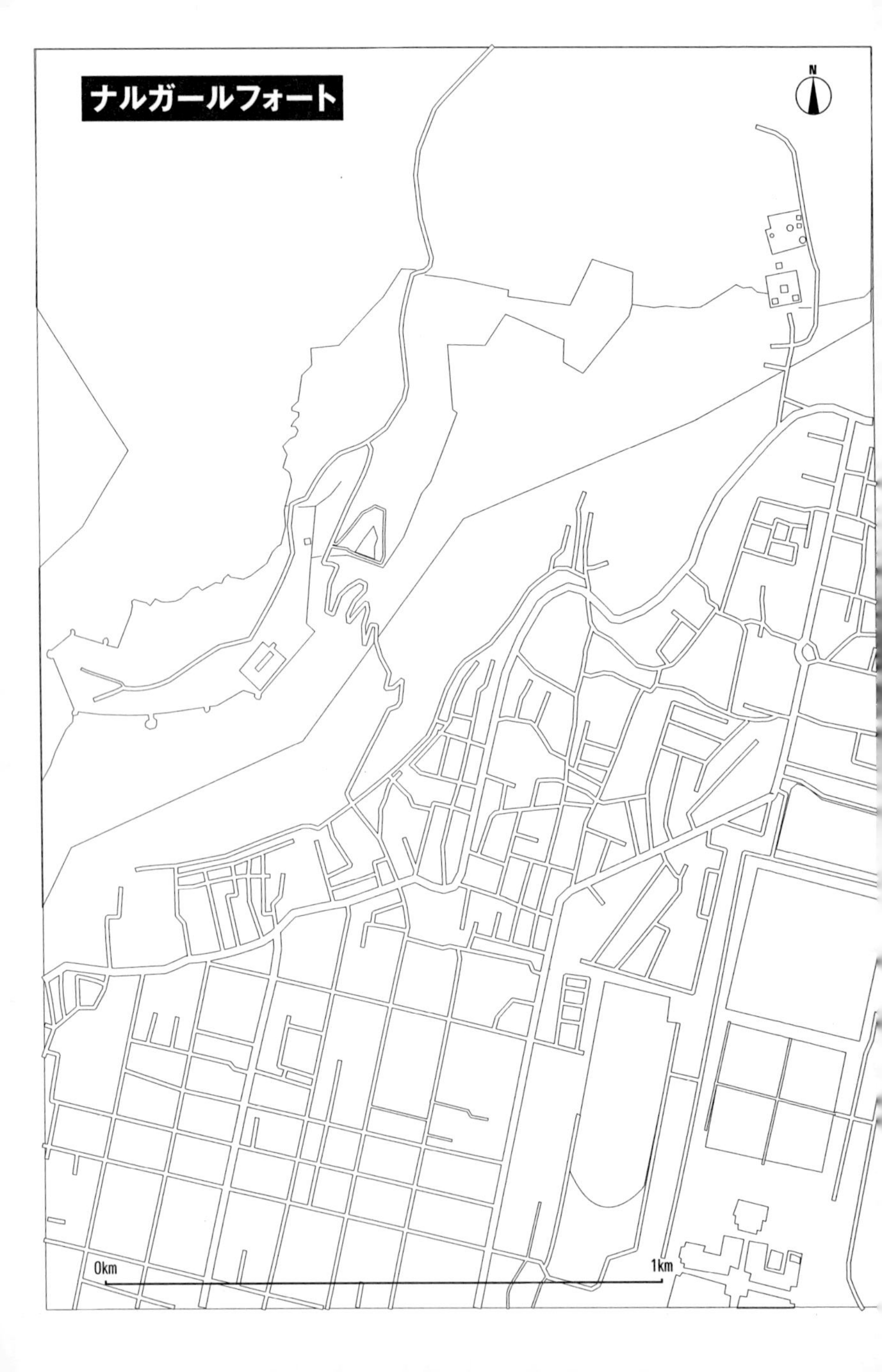
ナルガールフォート
N
0km
1km

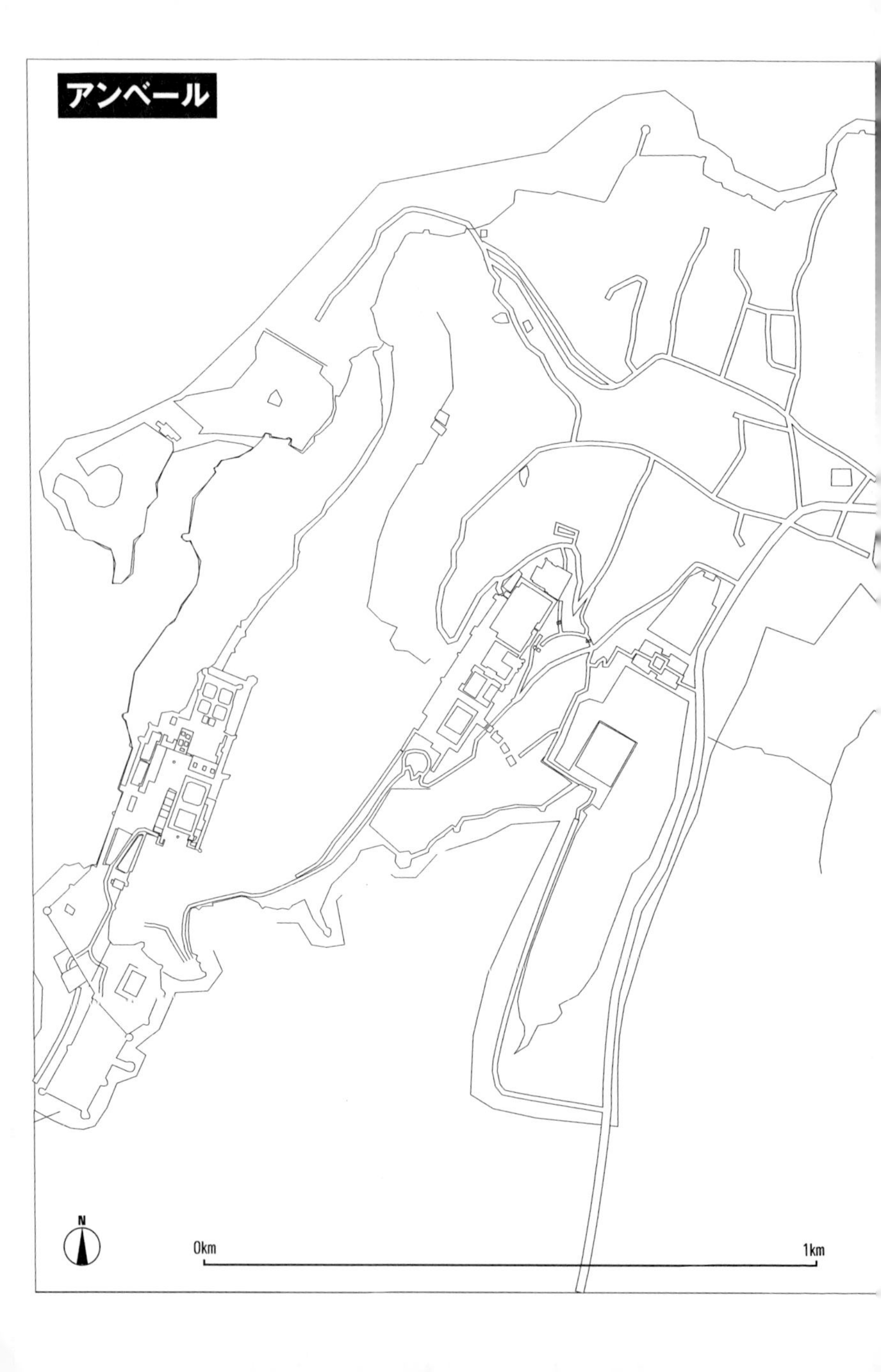
アンベール
N
0km
1km

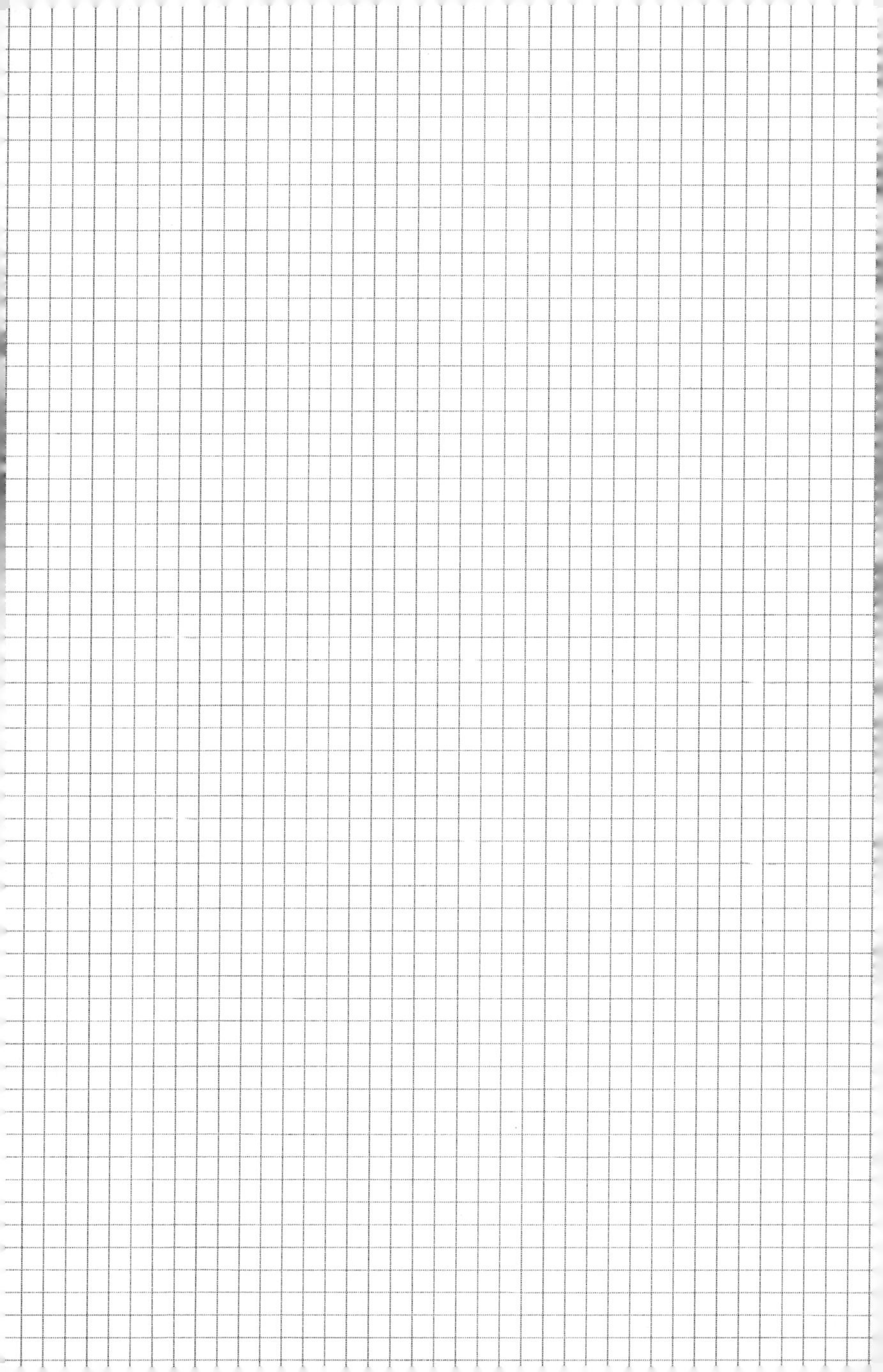

アンベール
フォート
N
0m
300m

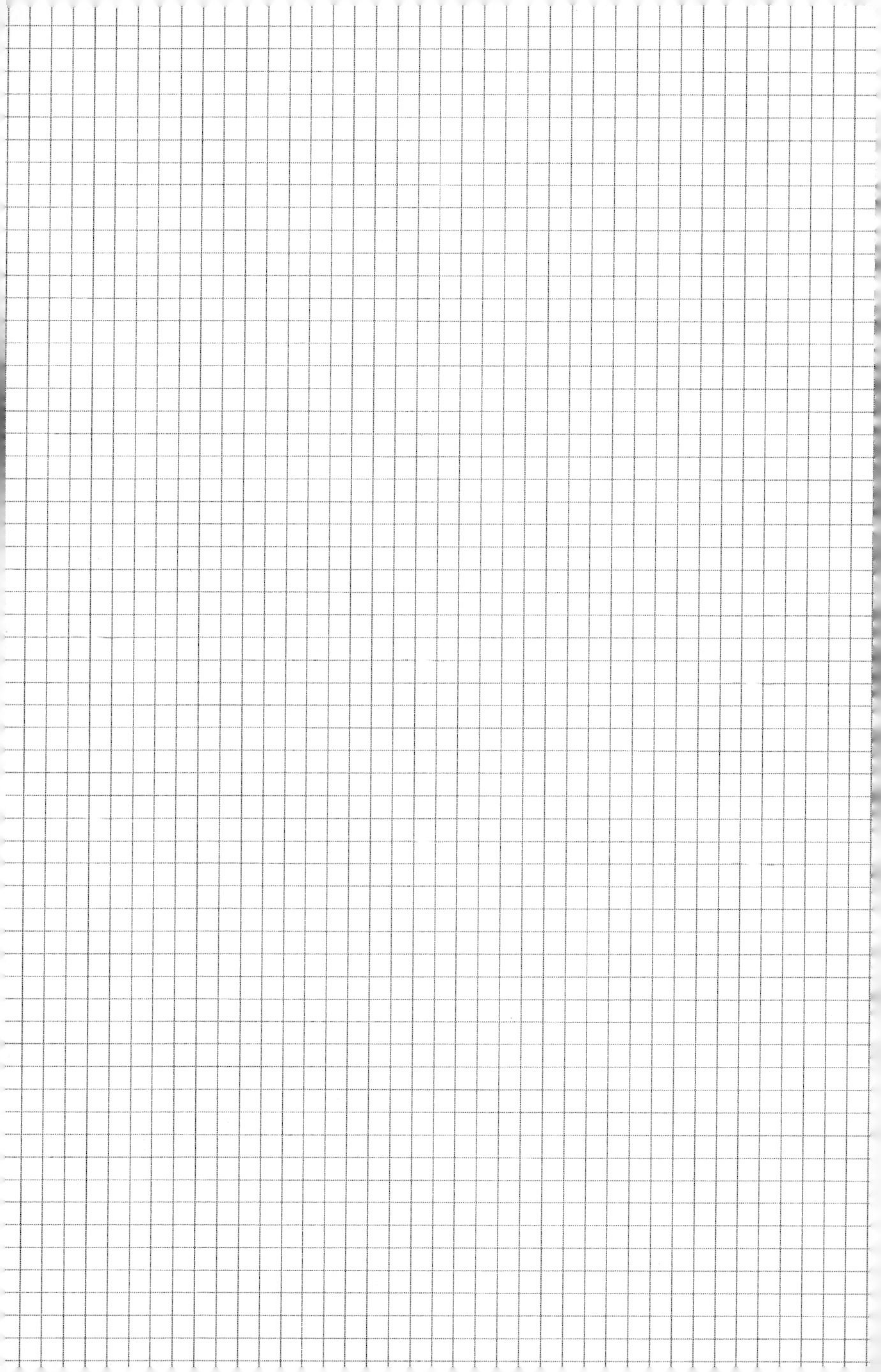

ジャイガルフォート
N
0m
300m

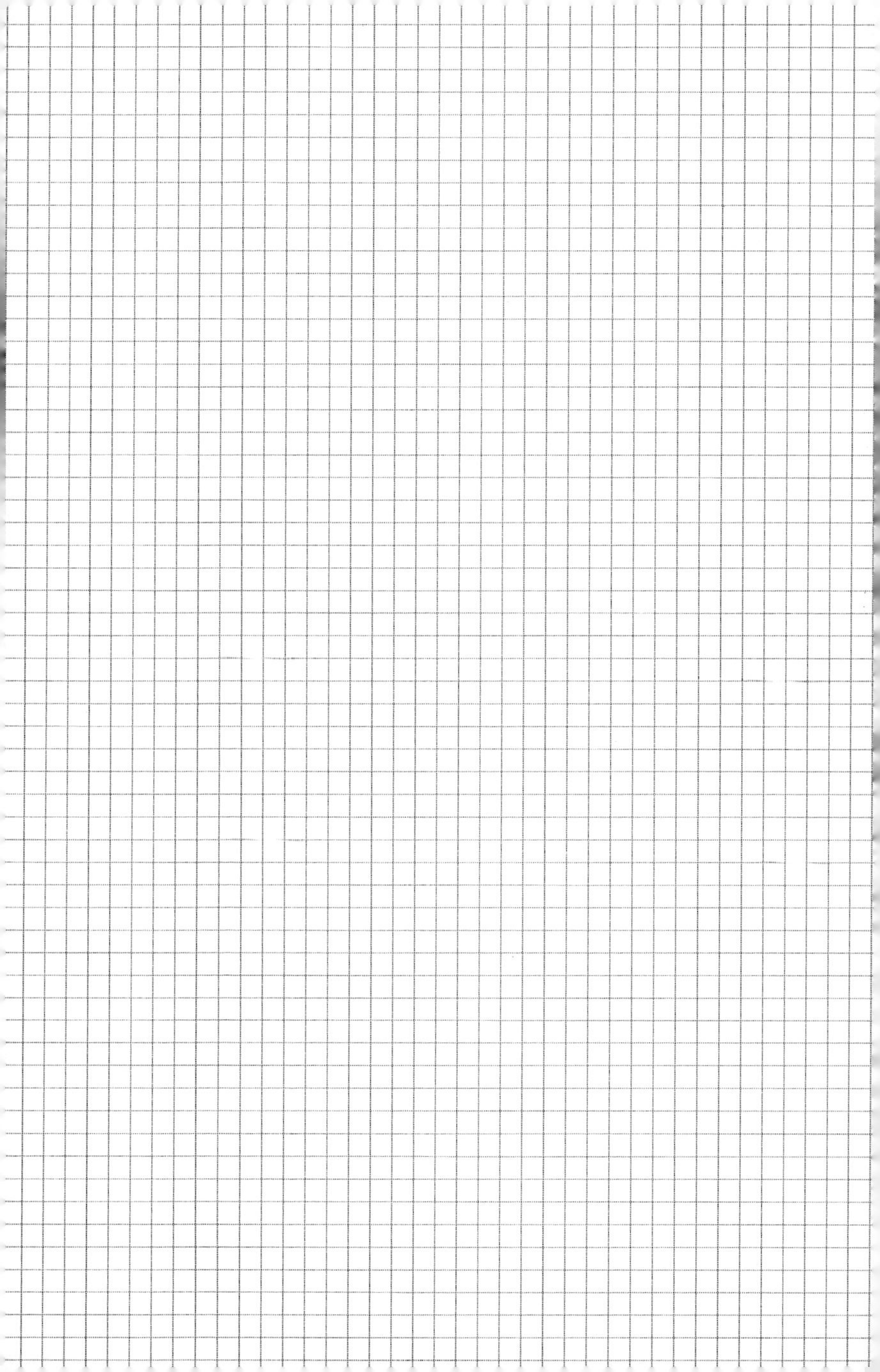

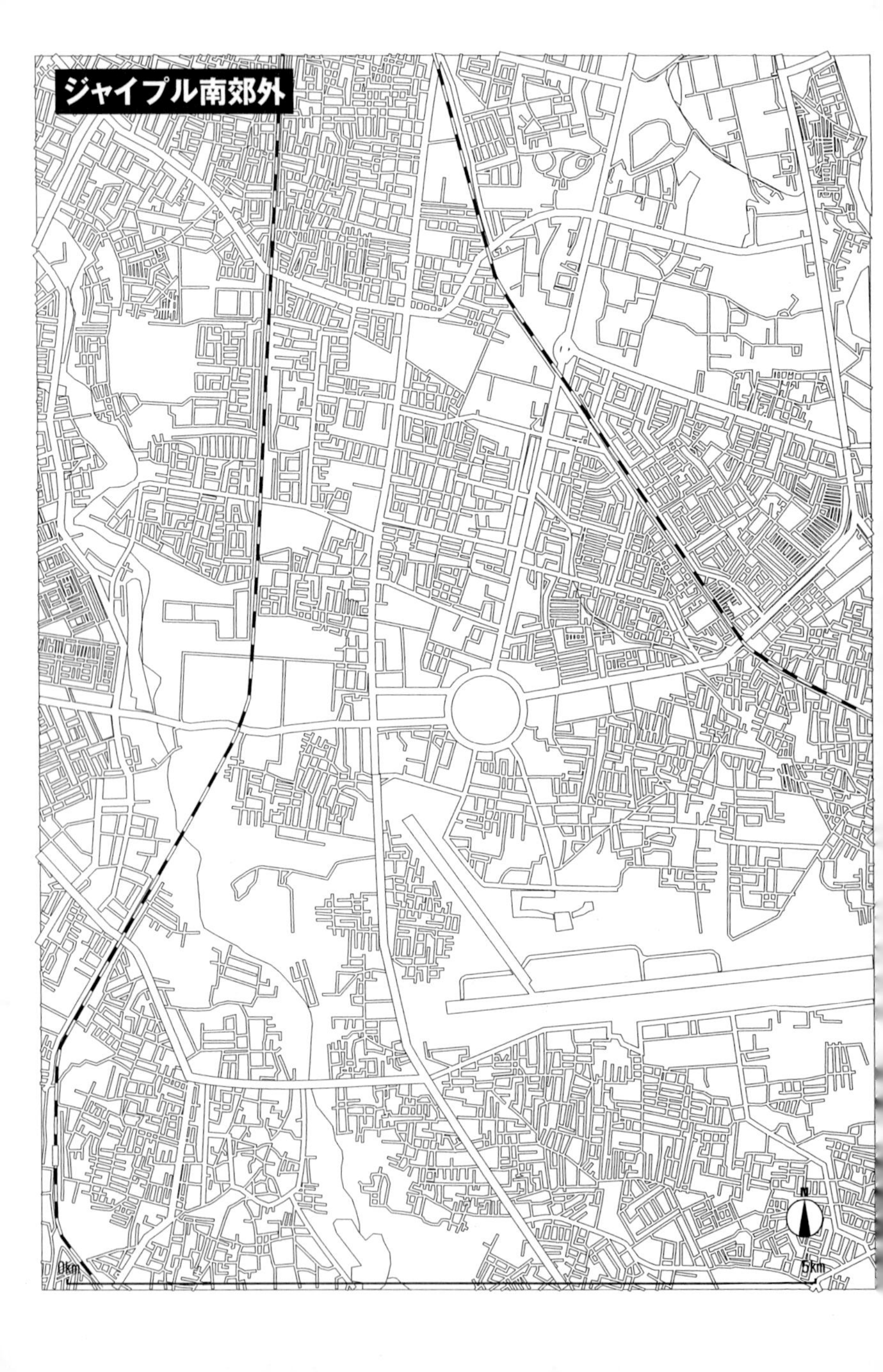
ジャイプル南郊外
0km
5km
N

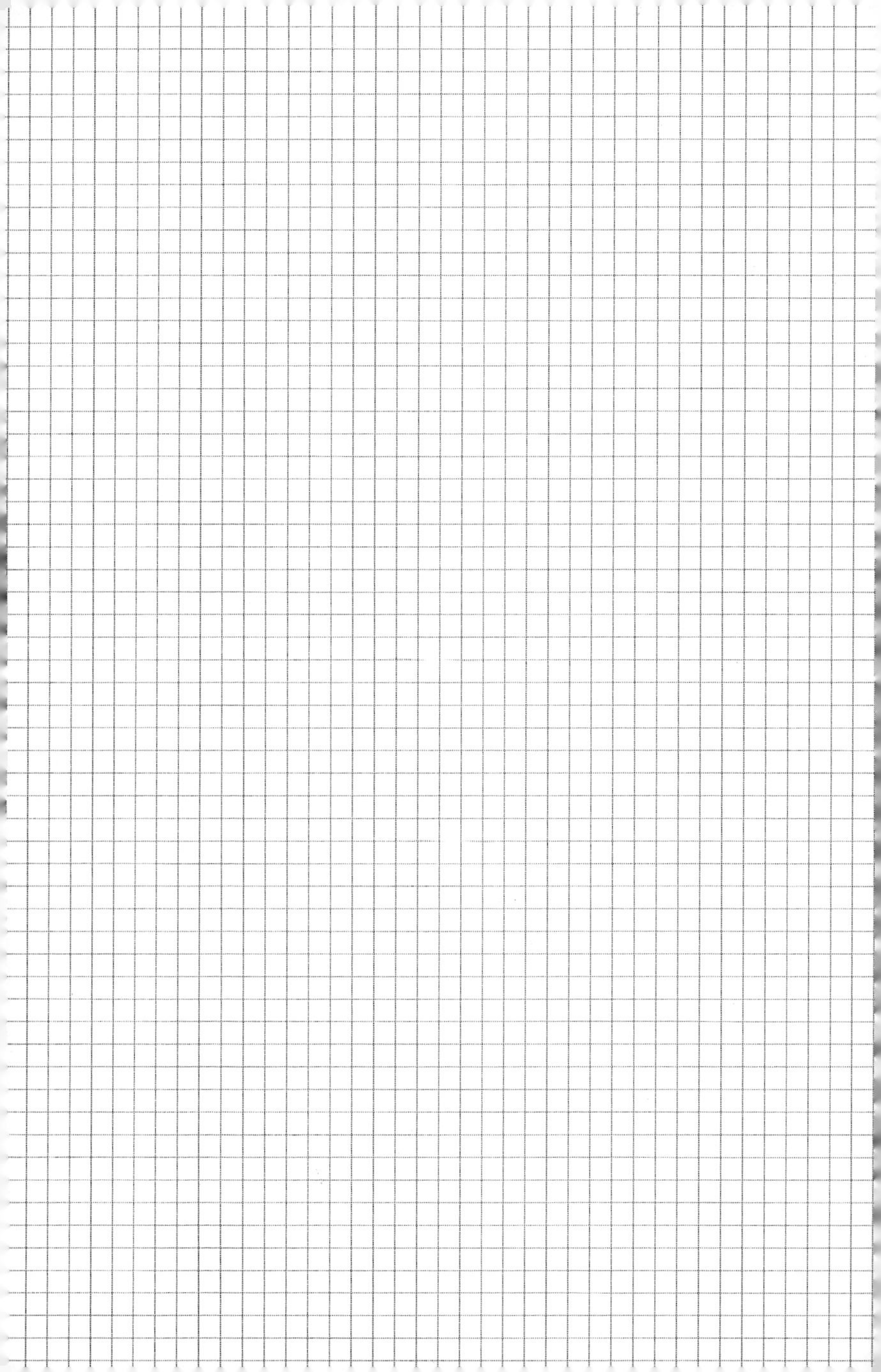

サンガネール
N
0km
1km

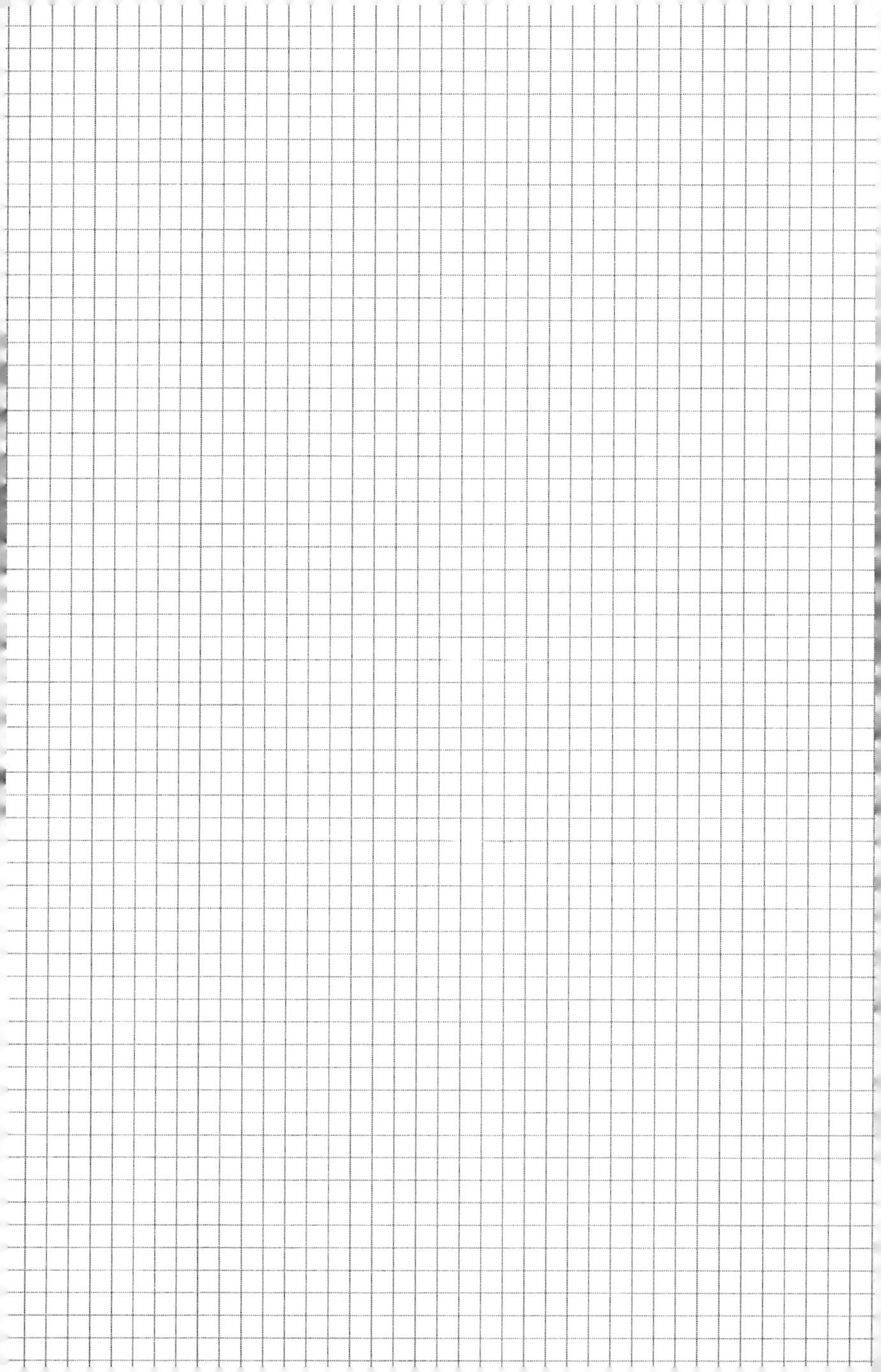

ジャイプル郊外
0km
10km
N

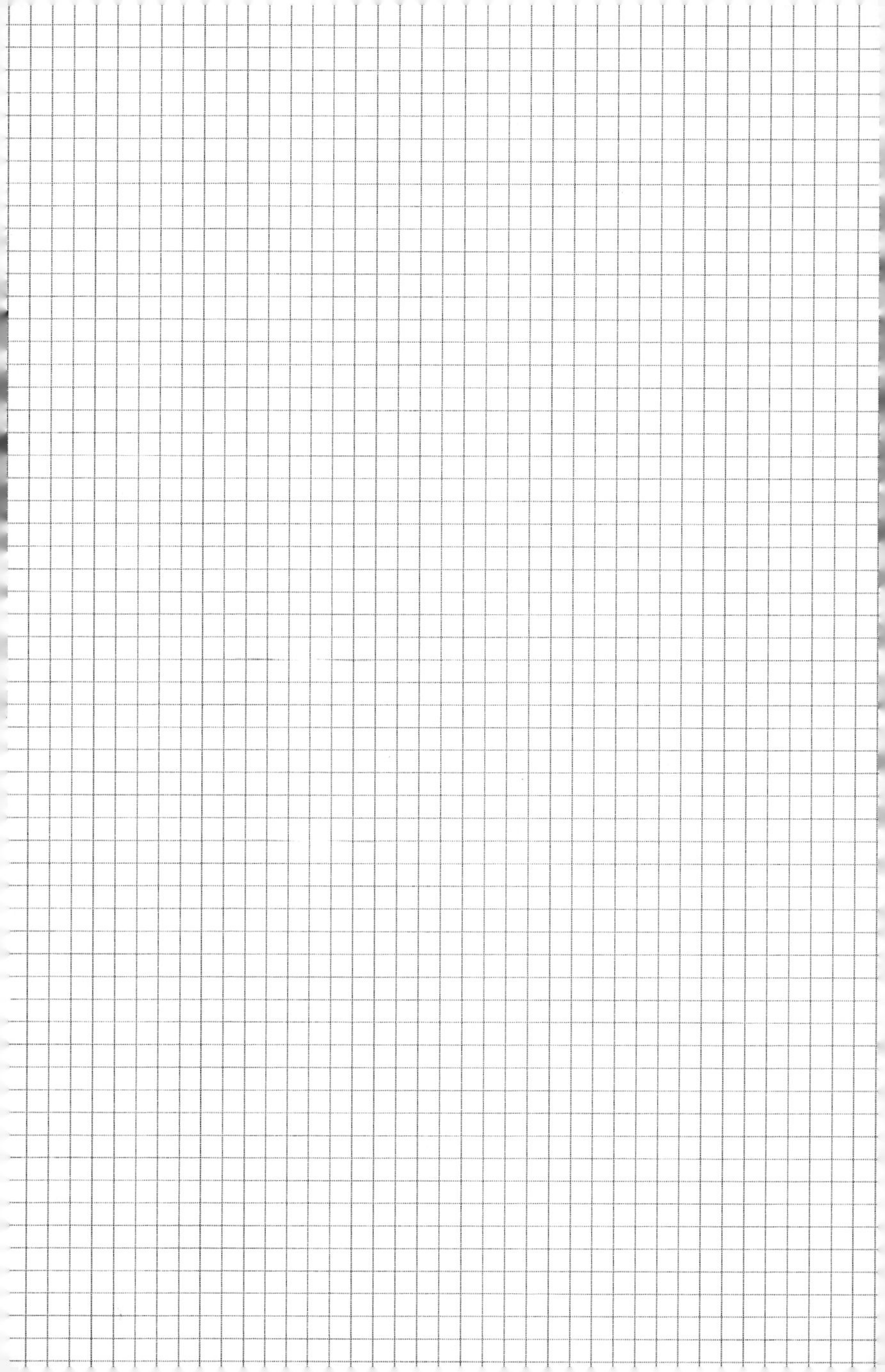

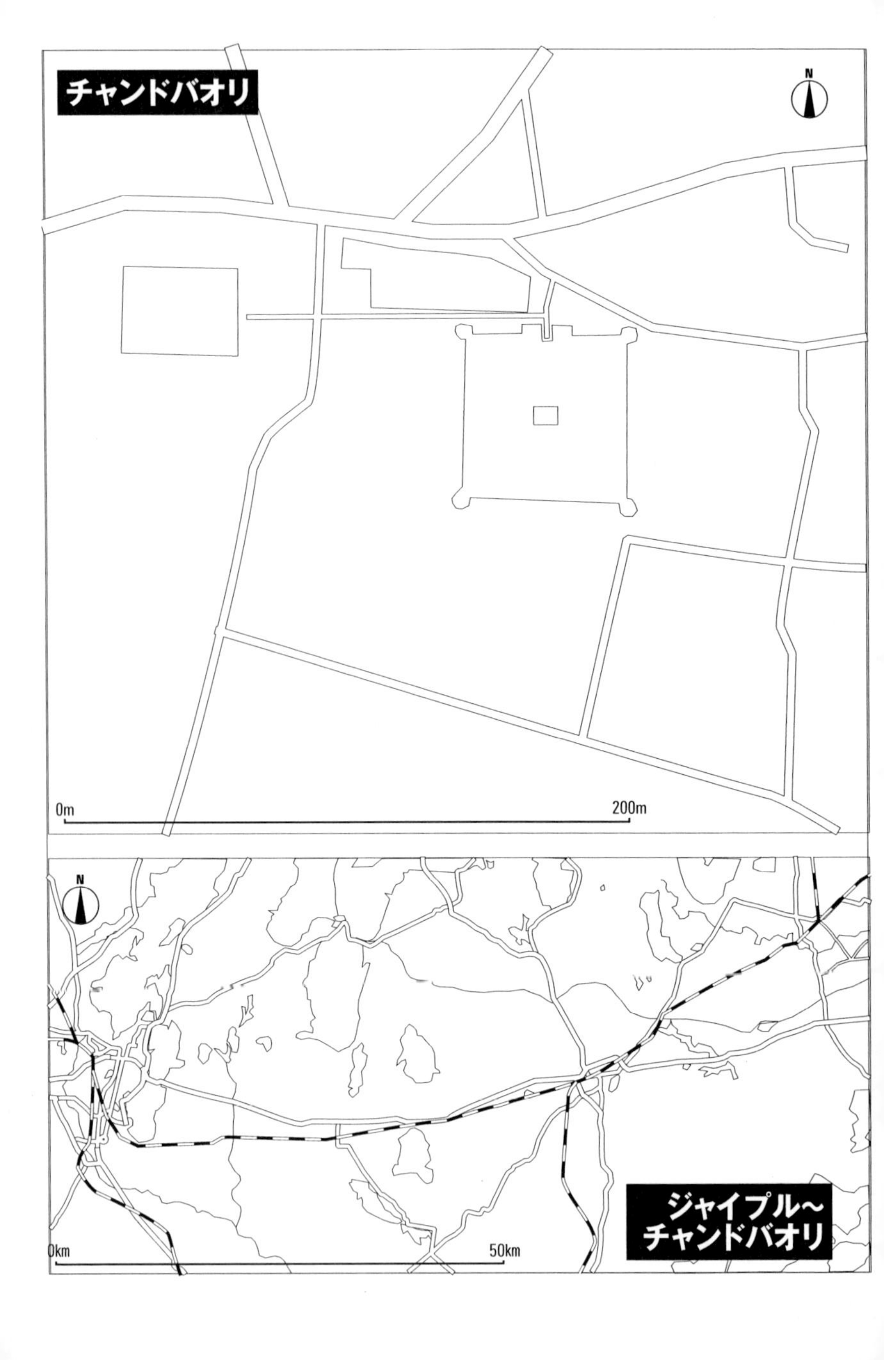
チャンドバオリ
N
0m
200m
N
0km
50km
ジャイプル～
チャンドバオリ

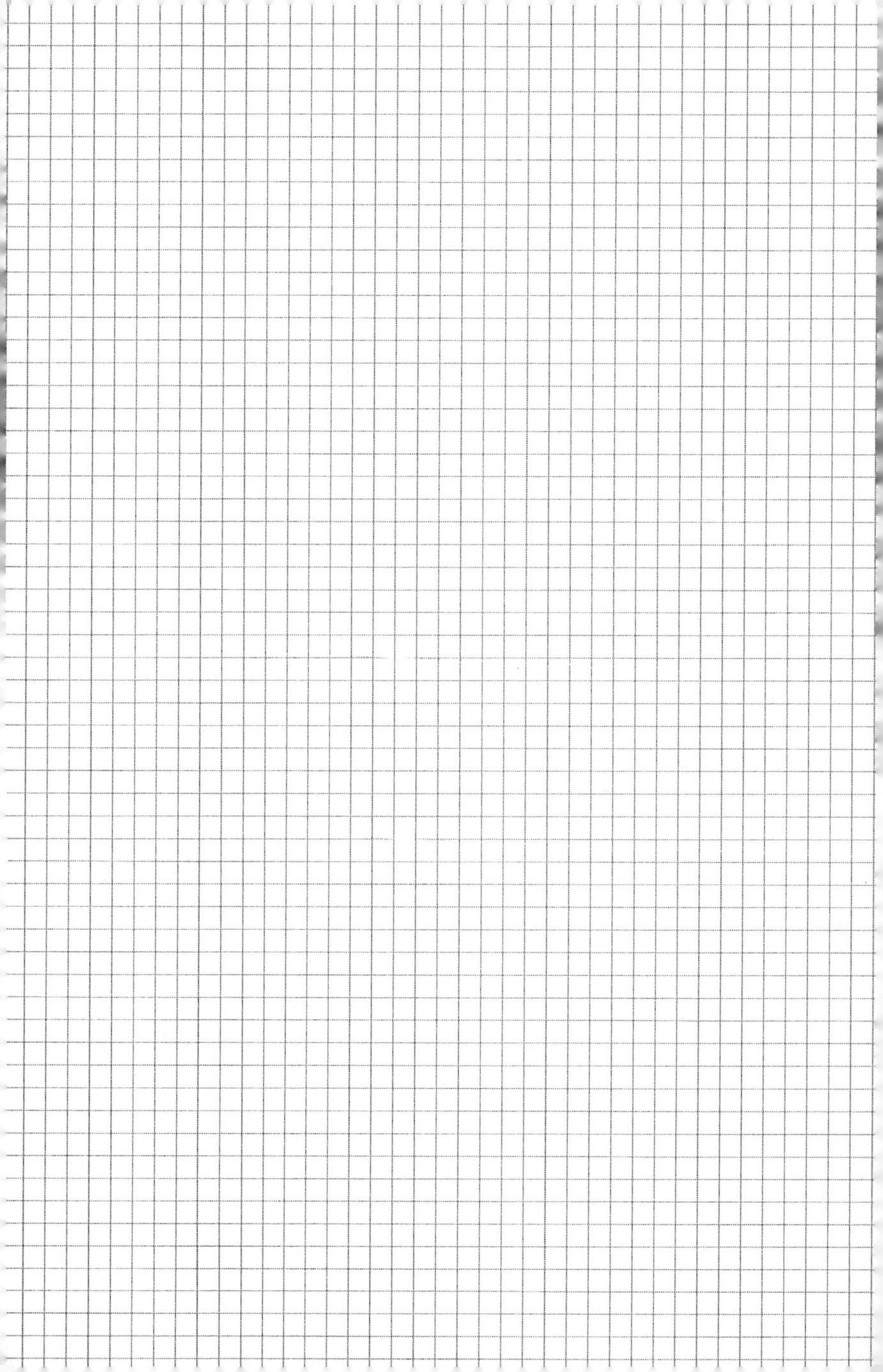

【車輪はつばさ】

南インドのアイラヴァテシュワラ寺院には
建築本体に車輪がついていて
寺院に乗った神さまが
人びとの想いを運ぶと言います

An amazing stone wheel of the Airavatesvara Temple
in the town of Darasuram, near Kumbakonam in the South India

まちごとインド
西インド 002

ジャイプル

ピンクの宮殿都市と「マハラジャ」

［モノクロノートブック版］

「アジア城市（まち）案内」制作委員会
まちごとパブリッシング
http://machigotopub.com

・本書はオンデマンド印刷で作成されています。
・本書の内容に関するご意見、お問い合わせは、発行元の
まちごとパブリッシング info@machigotopub.com までお願いします。

まちごとインド
新版 西インド002ジャイプル
~ピンクの宮殿都市と「マハラジャ」

2020年10月19日 発行

著 者 「アジア城市(まち)案内」制作委員会
発行者 赤松 耕次
発行所 まちごとパブリッシング株式会社
〒181-0013 東京都三鷹市下連雀4-4-36
URL http://www.machigotopub.com/
発売元 株式会社デジタルパブリッシングサービス
〒162-0812 東京都新宿区西五軒町11-13
清水ビル3F
印刷・製本 株式会社デジタルパブリッシングサービス
URL http://www.d-pub.co.jp/

MP325

ISBN978-4-86143-477-8 C0326 Printed in Japan
本書の無断複製複写(コピー)は、著作権法上での例外を除き、禁じられています。